Mentor Abiturhilfe
Band 21
Deutsch

Texte erschließen

Grundlagen der Textanalyse für die Oberstufe

Von Antje Kelle

Mit ausführlichem Lösungsteil

entor Verlag München

Antje Kelle: Oberstudienrätin an einem Gymnasium

Für beratende Mitarbeit danken Autorin und Verlag
Herrn Studiendirektor Hans Brandl, München

Illustrationen von Karin Fritschi

Auflage:	7.	6.	5.	4.	3.		Letzte Zahlen
Jahr:	1994	93	92	91	90		maßgeblich

© 1984 by Mentor-Verlag Dr. Ramdohr KG, München
Druck: Druckhaus Langenscheidt, Berlin
Printed in Germany · ISBN 3-580-64210-3

Inhalt

Inhalt

Inhalt

1. Anstelle eines Vorworts

Professionelle Lesetrainer bieten neuerdings an, unser Lesetempo endlich auf Trab zu bringen. Sie veranstalten Kurse unter zaudernden Lesekonsumenten. Sie weisen nach, das durchschnittliche Auge sei skandalös saumselig. Es nimmt nur 250 Druckwörter pro Minute auf.
Hier schaffen die Herren Remedur. Nach zehn Kursustagen haben sie uns den Schnellgang eingebimst. Wenn ein Untrainierter neben uns noch am letzten Drittel seiner ersten Druckseite druckst, fliegen wir schon mitten auf unserer dritten dahin.
Dabei bedeute Tempo keineswegs Oberflächlichkeit. Ganz im Gegenteil. Bei ihrem System fixer, flüssiger Aufnahme bleibe zudem noch mehr hängen. — Dann kassieren die Herren. Wir lesen ganz schnell die Rechnung und berappen.
Die Akten flutschen seitdem. Wer früher schmökerte, kann jetzt sprinten.
Aber gemach! Manche Vorgänge, Akten, Schriftwechsel kann man gar nicht schnell genug lesen. Das stimmt genau. Und manche Bücher verdienen kaum diagonale Kenntnisnahme. Auch zugegeben.
Jedoch: habe ich erst einmal das Schnellganglesen gelernt, kann ich dann mein Tempo wieder drosseln? JEAN PAUL muß mit schlenderndem Auge konsumiert werden. FONTANE will im Fußgängertempo herzlich annektiert sein. Bei THOMAS MANNS kompliziertem Kurvenbau in der Syntax käme man mit Lesetempo 750 nur ins Schleudern.
Deshalb. lehrt uns leicht und fix lesen, gerne. Aber zeigt uns auch, wenn's an Dichtung kommt, bitte, wie man den Schnellgang schnell wieder rausnimmt!

FRIEDRICH LUFT (gekürzt)

Über Lesen und Bücher

Solange das Lesen für uns der Initiator ist, dessen Zauberschlüssel uns in der Tiefe unseres Selbst das Tor zu Räumen öffnet, in die wir sonst nicht einzudringen vermocht hätten, ist seine Rolle in unserem Leben heilsam. Gefährlich dagegen wird das Lesen, wenn es, statt uns für das persönliche Leben des Geistes wach zu machen, versucht, sich an dessen Stelle zu setzen; wenn die Wahrheit uns nicht mehr als ein Ideal erscheint, das wir nur durch das innere Fortschreiten unseres Denkens und durch die Bemühung unserer Seele verwirklichen können, sondern als etwas Materielles, das auf den Seiten der Bücher abgelagert ist wie ein von andern fertig zubereiteter Honig, den wir nur aus den Regalen der Bibliothek zu nehmen und dann passiv in vollkommener Ruhe des Körpers und des Geistes zu verzehren brauchen.

MARCEL PROUST

1. Anstelle eines Vorworts

Dies ist ein Buch zum Lesenlernen.
Wer hierin bereits ein Könner ist, der sollte dieses Buch sofort wieder zuklappen.
Wer aber meint, er könne **ein paar Tips für den Umgang mit Texten** gebrauchen, die das Lesen leichterer Texte vertiefen und das Lesen schwierigerer Texte ermöglichen, der sollte weiterlesen.

Dieses Buch stellt das **Handwerkszeug** bereit, mit dem wir die inhaltlichen und formalen Bestandteile eines Textes besser durchschauen können, so daß uns beim Lesen nichts Wichtiges entgeht.

2. Womit haben wir es zu tun?
2.1 Was ist ein Text?

2.1 Was ist ein Text?

Αφῆστε αὐτὸν τὸν ὅμορφο κόσμο νὰ διαιωνίζεται
ἀνακυλώντας τὸ αὔριο στὶς πηγές του — ὅπως
τὸν καιρὸ ποὺ γεννήθηκα — προαιώνιος καὶ νέος,
σὰ ν' ἀναδύεται, κάθε πρωΐ, γιὰ πρώτη φορὰ
ιὲς ἀπ' τὶς ρόδινες γάζες τῆς γέννας του.

> 1 Uns ist in alten mæren   wunders vil geseit
>   von helden lobebæren,   von grôzer arebeit,
>   von freuden, hôchgezîten,   von weinen und von klagen,
>   von küener recken strîten   muget ír nu wunder hœren sagen.
>
> 2 Ez wuohs in Búrgónden   ein vil édel magedîn,
>   daz in allen·landen   niht schœners mohte sîn,
>   Kríemhílt geheizen: si wart ein schœne wíp.
>   dar umbe muosen degene   vil verlíesén den lip.

من نوارد جحا وحميرة العشرة

إشترى جحا عشرة حمير. فرح بها وساقها أمامه ثم ركب واحداً

منها. وفي الطريق عد حميره وهو راكب فوجدها تسعة.

ثم نزل وعدها فرآها عشرة فقال « أمشى وأكسب حماراً أفضل

من أن أركب وأخسر. »

Ein Text ist ein Gefüge von **Sprachzeichen** wie etwa α β γ, a b c, ﺝ ﺏ ﺕ
Also ist „fMlur tsiei hcsoneg" ein Text? Offensichtlich nicht, da die Buchstaben (die **Zeichenkörper**) beliebig zusammengefügt sind und da die Wörter keine **Bedeutung** haben.
Ein Gefüge von Sprachzeichen ist nämlich nur dann ein **Text,** wenn zwei bestimmte Bedingungen erfüllt sind:

1. Die Wahl der Zeichen muß inhaltlich den Gewohnheiten entsprechen, die sich innerhalb einer Sprachgemeinschaft entwickelt haben. Die Wortwahl ist also an semantische Konventionen (**Semantik =** Wortbedeutungslehre) gebunden, die bestimmten Buchstabenfolgen bestimmte Inhalte zuordnet, z. B. Die Buchstaben „ELEFANT" bedeuten 🐘 .

9

2. Womit haben wir es zu tun?
2.2. Wie analysiert man Texte?

2. Die Form und Anordnung der Zeichen müssen sich nach bestimmten grammatischen Bauprinzipien richten, die in den syntaktischen Regeln (**Syntax** = Satzlehre) einer Sprache vorliegen. Wort- und Satzformen haben also kompositorische Vorschriften zu berücksichtigen. (Z. B.: „Das Buch ist spannend. DIE BÜchER SIND spannend.")
Sortieren wir nun unter diesen Gesichtspunkten die Buchstaben „fMlur tsiei hcsoneg" neu, so lassen sich beide Bedingungen leicht erfüllen, wenn sich der Satz ergibt: „Morgen ist schulfrei."

Wenn Texte gesprochen werden, die Buchstaben also in Laute umgewandelt werden, so können auch die phonetischen Gegebenheiten (**Phonetik** = Lautlehre) Bedeutung erlangen, indem der Klang den Inhalt mitträgt. Z. B. unterstreicht die Lautgestalt bei „schreiten" das Feierlich-Gemessene des Gehens („schrei-ten"), während man bei „flitzen" das Blitzschnelle („flitzen") gleichsam mithört.
Bei sorgfältigem Lesen werden wir uns also auf die Untersuchung semantischer, syntaktischer und phonetischer Besonderheiten des Textes einzustellen haben.

10

Wer solche grundlegenden Vor-Überlegungen noch vertiefen möchte, dem sei die Lektüre des Anhang-Kapitels S. 106—109 empfohlen.

2.2 Wie analysiert man Texte?

Wollen wir nun einen Text analysieren (griech. „auflösen/zergliedern/untersuchen"), so ist es unser Bestreben, die „Einzelfäden" des Textgewebes unter die Lupe zu nehmen und der „Webemethode" auf die Spur zu kommen:

— Welche Sprachzeichen werden verwendet?
— Wie werden sie miteinander verknüpft?

Analysieren meint jedoch keineswegs das Zerpflücken **in** Teile, bei dem sich der Text selbst auflöst, sondern das Untersuchen **von** Teilen, das stets den Gesamttext im Auge behält.
Hierfür gibt es natürlich wegen der Einmaligkeit jedes Textes kein verbindliches Schema im Sinne eines Patentrezepts. Es gibt aber Leitlinien, nach denen man jeden Text in seiner individuellen Beschaffenheit systematisch erfassen kann. Und welche sind es?

Es sind die altbewährten Teilfragen nach
— **Inhalt**

— **Form** {
  Aufbau

  Gestaltung.
}

So selbstverständlich diese Teilfragen klingen mögen — sie sind nur eine nützliche Hilfs-

Analyse
Synthese

onstruktion; denn es gibt keinen Inhalt, der on der Form ablösbar ist, und keine Form hne Inhalt: Sprachkörper sind Träger von Bedeutungen, die ohne Träger nicht existieen (vgl. S. 106).

Folgende Fragen sind an den Text zu stellen:

4. Wie lassen sich die Ergebnisse zusammenfassen?

3. Welche sprachliche Gestaltung liegt vor?

2. Welche Struktur hat der Text?

1. Wovon handelt der Text?

```
                LÜCKE
    S           LÜCKE
   PI           LÜ KE
  TZE           LÜCKE
```

Diese methodische Trennung nach Inhalt, Aufbau und Gestaltung stellt somit nur eine Perspektivenverschiebung innerhalb unseres Blickfeldes dar; sie darf uns nicht dazu verleiten, das Zusammenwirken der textbildenden Faktoren aus dem Auge zu verlieren.

Analysieren heißt also nicht, Einzeluntersuchungen addieren, sondern einzelnes in seinem Beitrag für das Ganze untersuchen.

Ob dies gelungen ist, zeigt dann die abschließende **Synthese,** die eine Zusammenfassung der Ergebnisse darstellt. Sie kann nur überzeugen, wenn die Analyse stimmig war.

Das Ergebnis einer solchen Textanalyse ist eine **Textbeschreibung.** Aber — wollten wir nicht nur LESEN lernen?

 Wenn wir die Methode der systematischen Textanalyse beherrschen, dann KÖNNEN wir lesen, d. h. einen Text verstehen.

Bevor wir allerdings beginnen, müssen wir einige **Vorarbeiten** leisten, die uns den Text näher bringen. Keine Sorge, sie zahlen sich später spürbar aus.

11

3. Wie gewinnt man einen Zugang zum Text

3.1. Um was für einen Text handelt es sich?

①

Lieber Fabian,
heute bekommst Du einen SOS-Ruf von
mir; ich habe neulich mein Portemonnaie
verloren...
Ich bin fix und fertig und sitze gerade
mit dem Rest meiner Nerven bei meiner
Freundin...

②

Zu Beginn der Sitzung wurde von dem
Sachverständigen ein Bericht über
die Lage im Katastrophengebiet ver-
lesen. Es folgte eine heftige Debatte
über mögliche Hilfsmaßnahmen und ...

③

Dies geht auch **DICH** an.
Während **Du** gerade
gemütlich
beim Frühstück sitzt,
verhungert in der Welt
ein Mensch.
Dies geht auch **Dich** an!
auch **Dich**!
Dich!

④

Erste Hilfe
Man liest zwar deutlich überall:
Was tun bei einem Unglücksfall?
Doch ahnungslos ist meist die Welt,
Wie sie beim Glücksfall sich verhält.
EUGEN ROTH

3. Wie gewinnt man einen Zugang zum Text?

⑤

Sofortmaßnahmen:
Bienenstachel entfernen, Abtupfen des Stichbereiches mit Salmiakgeist, kühlende Umschläge.
Bei drohendem Schock sofortiger Arztruf. Bis zu dessen Eintreffen Schockbehandlung einleiten.

⑥

§ 323c **Unterlassene Hilfeleistung** Wer bei Unglücksfällen oder gemeiner Gefahr oder Not nicht Hilfe leistet, obwohl dies erforderlich und ihm den Umständen nach zuzumuten, insbesondere ohne erhebliche eigene Gefahr und ohne Verletzung anderer wichtiger Pflichen möglich ist, wird mit Freiheitsstrafe bis zu einem Jahr oder mit Geldstrafe bestraft

⑦

Der hilflose Knabe
Herr K. sprach über die Unart, erlittenes Unrecht stillschweigend in sich hineinzufressen, und erzählte folgende Geschichte: »*Einen vor sich hin weinenden Jungen fragte ein Vorübergehender nach dem Grund seines Kummers.* ›*Ich hatte zwei Groschen für das Kino beisammen*‹, *sagte der Knabe,* ›*da kam ein Junge und riß mir einen aus der Hand*‹, *und er zeigte auf einen Jungen, der in einiger Entfernung zu sehen war.* ›*Hast du denn nicht um Hilfe geschrien?*‹ *fragte der Mann.* ›*Doch*‹, *sagte der Junge und schluchzte ein wenig stärker.* ›*Hat dich niemand gehört?*‹ *fragte ihn der Mann weiter, ihn liebevoll streichelnd.* ›*Nein*‹, *schluchzte der Junge.* ›*Kannst du denn nicht lauter schreien?*‹ *fragte der Mann.* ›*Nein*‹ *sagte der Junge und blickte ihn mit neuer Hoffnung an. Denn der Mann lächelte.* ›*Dann gib auch den her*‹, *sagte er, nahm ihm den letzten Groschen aus der Hand und ging unbekümmert weiter.*«

BERTOLT BRECHT

Jede Situation erfordert eine besondere Sprechweise. Z. B. wird kein Patient seinem Arzt sagen: „He, Kumpel, hier piekt's". Und ein Nachrichtensprecher wird nach Behebung einer technischen Panne seinem Kollegen „Alles okay!" zurufen, während er in der Sendung mitteilt, daß „alle technischen Schwierigkeiten behoben" seien.
Wie die Beispiele (S. 13/4) zeigen, ändert sich mit der Situation auch die Schreibweise, so daß eine Vielzahl von **Textarten** entsteht (die jedoch selten in reiner Form auftreten), etwa

14

Textarten:
dominierendes Grundmodell

— Brief   ①
— Protokoll   ②
— Aufruf   ③
— Gedicht   ④
— Gebrauchsanweisung   ⑤
— Gesetz   ⑥
— Erzählung   ⑦
— usw.

Es ist nun naheliegend, diese unterschiedlichen Textarten unter bestimmten Gesichtspunkten zusammenzufassen und dadurch eine überschaubare Ordnung zwischen ihnen herzustellen, die dann auch zu einer Orientierungshilfe beim Lesen werden kann.

Obwohl lebendige Sprache keineswegs in ein starres Schema gepreßt werden darf, lassen sich — bei aller Problematik — drei **Grundmodelle** unterscheiden, die jeweils an einem Textbeispiel gezeigt werden sollen.

Als Unterscheidungsmerkmal dient die Frage nach der **Absicht des Autors (Intention),** die der geplanten **Funktion des Textes** entspricht.

1. Das Bild nach van Gogh auf Seite 16 stellt einen Holzstuhl dar, auf dessen korbbespannter Sitzfläche eine Pfeife und ein geöffneter Tabaksbeutel liegen.
Das Original des Bildes ist farbig: Der Grundton des Korbstuhls ist gelb, deutlich mit Grün vermischt und an einigen Stellen mit Braunrot durchsetzt. Die Konturen sind in dunkleren Blau- und Brauntönen nachgezeichnet und . . . (usw.)

Dieser Text gibt in Worten wieder, was der Betrachter des Originalbildes in Formen und Farben wahrnimmt. Er beschreibt das Bild klar und genau, indem er eine sachliche **Darstellung** des Bildes liefert und versucht, die Wirklichkeit mit Worten nachzuzeichnen.

Der Text ist hauptsächlich **Mittel zur Information über eine Sache.**

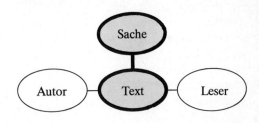

2.1 Da für unsere Klassenfete die Sitzgelegenheiten nicht ausreichen, solltet ihr aus der Turnhalle einige Gummimatten besorgen. Der Umbau ist zwar zeitaufwendig; aber dafür haben wir alle genügend Platz.

Dieser Text ist vor allem an die Einsicht des Lesers gerichtet, um ihn zu überzeugen und bei ihm eine bestimmte Meinung hervorzurufen. Hierzu bedient er sich besonderer logi-

15

Nach Van Gogh's Stuhl + Pf...

Textarten:
dominierendes Grundmodell

...cher Mittel der **Argumentation** (z. B. Begründung, Schlußfolgerung), die planmäßig vom Verstand nachvollzogen werden soll.

Der Text ist hauptsächlich **Mittel zur Beeinflussung des Lesers.**

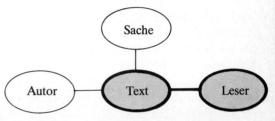

2.2 Polsterprofi gesucht, der die neuen Polstergruppen von SOMELI fachmännisch begutachten kann! Kommen Sie zum Probesitzen und kuscheln Sie sich in die samtweichen Sessel von SOMELI. Lassen Sie sich entführen in eine wohlige Wohnwelt! Dann werden Ihre Möbelträume Wirklichkeit!

Auch dieser Text zielt auf eine bestimmte Wirkung beim Leser ab. Dies geschieht hier vor allem mit psychologischen Mitteln einer Überredungsstrategie, die besonders den Gefühlsbereich ansprechen und angenehme Assoziationen wecken soll: Solcher **Appell** soll das Selbstwertgefühl stärken („Polsterprofi/fachmännisch"), Wunschvorstellungen anregen („kuscheln/samtweich/Träume") und ei-

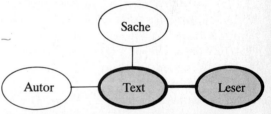

ne angenehme Stimmung auslösen („wohlig"). Auch dieser Text ist hauptsächlich **Mittel zur Beeinflussung des Lesers.**

3. Ein alter Ohrensessel stand gekränkt im Keller und klagte dem Obstregal sein Leid: „Die Menschen sind ungerecht: Heute abend haben sie eine große Feier, und mich lassen sie hier unten stehen. Statt dessen darf der schäbige Klappstuhl bei ihnen sein, der dort hinten zwischen den Koffern klemmt. „Er kann sich halt anpassen", murmelte das Obstregal.

Dieser Text ist leicht als Fabel zu erkennen, d. h. als ein Text, dessen Gegenstand aus der dichterischen Phantasie stammt. Er ist **Ausdruck** der persönlichen Vorstellung des Autors.
Der Text ist hauptsächlich **Mittel zur Äußerung des Autors.**

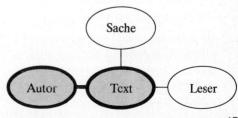

17

3. Wie gewinnt man einen Zugang zum Text?

Da bei jedem Text alle drei Grundfunktionen der Sprache beteiligt sind, können solche Grundmodelle natürlich nicht in reiner Form vorkommen — es sind eben „Modelle". In der Regel läßt sich jedoch **der dominierende Aspekt** ermitteln, so daß sich folgende Orientierung ergibt:

1. Vorwiegend informative Texte
(mit besonderer Rolle der **Sache**)

Sie zielen vor allem auf die sachgemäße **Erfassung der Wirklichkeit** durch eindeutig-genaue Darstellung ab.
Zu dieser Gruppe gehören meist folgende Textarten:
— Sachbuch
— Lehrbuch
— Gesetz
— Vertrag
— Gebrauchsanweisung
— Bericht
— Protokoll
— Abhandlung
— Inhaltsangabe
— Textanalyse
— u. a.

2.1 Vorwiegend argumentative Texte
(mit besonderer Rolle des **Lesers**)

Sie zielen vor allem auf die verstandesmäßige Beeinflussung des Lesers durch logische Verknüpfung der Gedanken ab, so daß dieser **von einer bestimmten Einstellung überzeugt** wird.

2.2 Vorwiegend appellative Texte
(mit besonderer Rolle des **Lesers**)

Sie zielen vor allem auf die gefühlsmäßige Beeinflussung des Lesers durch offene oder verdeckte Aufforderungen ab, so daß dieser **zu einem bestimmten Verhalten überredet** wird.
Da beide Teilmodelle in besonderem Maße zweckorientiert sind, werden solche Texte oft auch „pragmatische Texte" genannt (griech. „tun/handeln/ ausführen/bewirken").

Zu dieser Gruppe gehören meist folgende Textarten:
— Werbetext
— Wahlrede
— Aufruf
— Kommentar
— Plädoyer
— Leitartikel
— u.a.
Je nach besonderer Ausprägung zählen sie dann zu den argumentativen oder appellativen Texten.

3. Vorwiegend literarische bzw. poetische Texte
(mit besonderer Rolle des **Autors**)

Sie zielen vor allem darauf ab, daß der Autor seine eigenen Gedanken ausdrückt.
Hierbei können sie sich **entweder** auf **einen tatsächlichen Gegenstand** beziehen,

informative, argumentative/ appellative, literarische Texte

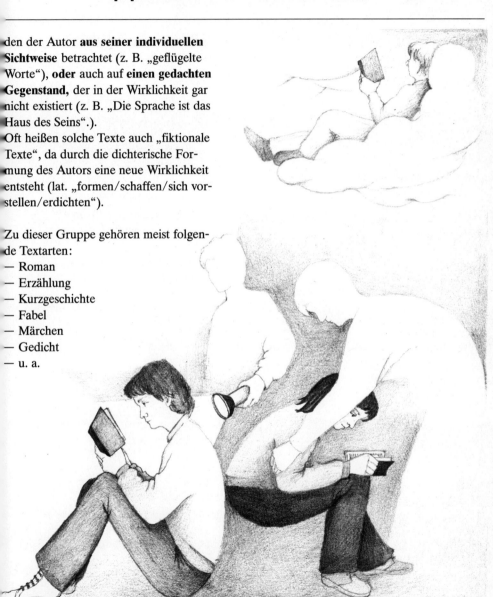

den der Autor **aus seiner individuellen Sichtweise** betrachtet (z. B. „geflügelte Worte"), **oder** auch auf **einen gedachten Gegenstand,** der in der Wirklichkeit gar nicht existiert (z. B. „Die Sprache ist das Haus des Seins".).

Oft heißen solche Texte auch „fiktionale Texte", da durch die dichterische Formung des Autors eine neue Wirklichkeit entsteht (lat. „formen/schaffen/sich vorstellen/erdichten").

Zu dieser Gruppe gehören meist folgende Textarten:

— Roman
— Erzählung
— Kurzgeschichte
— Fabel
— Märchen
— Gedicht
— u. a.

3. Wie gewinnt man einen Zugang zum Text?

Und woran erkennen wir nun das jeweilige Grundmodell?

Folgende Merkmale deuten auf das Vorherrschen eines Grundmodells hin:

Besonderheiten des Textes:	Hinweis auf einen:

1. — Die Gedanken werden weitgehend als Feststellungen formuliert.
— Auffallend sind:
  — Sachlichkeit
  — Genauigkeit
  — klare Sprachstruktur
	→ vorwiegend **informativen Text** (mit Schwerpunkt bei der **Sache**)

2.1 — Die Gedanken werden weitgehend auseinander entwickelt.
— Auffallend sind:
  — logischer Aufbau
  — These/Begründung
  — eindeutige Sprachwahl
	→ vorwiegend **argumentativen Text** (mit Schwerpunkt beim **Leser**)

2.2 — Die Gedanken werden weitgehend auseinander entwickelt.
— Auffallend sind:
  — strategischer Aufbau
  — Einbeziehung des Gefühlsbereichs
  — assoziationsreiche Sprachwahl
	→ vorwiegend **appellativen Text** (mit Schwerpunkt beim **Leser**)

3. — Die Gedanken werden weitgehend individuell ausgedrückt.
— Auffallend sind:
  — Kreativität
  — mehrere Bedeutungsschichten
  — kunstvolle Sprachkomposition
	→ vorwiegend **literarischen bzw. poetischen Text** (mit Schwerpunkt beim **Autor**)

Textarten: dominierendes Grundmodell

Und wozu haben wir diese Einteilung vorgenommen?

Die vorliegende Textunterscheidung bietet Anhaltspunkte dafür, worauf wir beim Lesen unser besonderes Augenmerk richten sollten. Natürlich müssen wir uns dabei vor den berühmten Scheuklappen hüten und uns bei jedem Wort unvoreingenommen auf den Text einstellen.

Die erste Frage an einen Text lautet also immer:

Um was für einen Text handelt es sich?

Das Erkennen des **dominierenden Grundmodells** (und falls möglich: der Blick auf den umgebenden Text, den **Kontext**) stellt außer der genannten Orientierungshilfe beim Lesen auch bereits einen Wegweiser für die spätere Analyse dar (vgl. S. 42 ff).

Moment mal . . .

Genügt denn das Erkennen des Grundmodells überhaupt? Müßte man sich nicht auch über die **Textart** und ihre besonderen Baugesetze im klaren sein? Eigentlich ja. Doch dies ist ein Pensum für Fortgeschrittene, für das detailliertes Fachwissen erforderlich ist. Solange wir nur nach einer Lesehilfe Ausschau halten, reicht das Erkennen des vorherrschenden Grundmodells aus; wollen wir jedoch ein noch umfassenderes Textverständnis gewinnen, so ist eine Spezialanalyse der jeweiligen Textart unerläßlich.

Wir entscheiden uns hier für das Motto: Alles zu seiner Zeit!

Übung 1:

Ordnen Sie nachstehende Textarten einem der Grundmodelle zu:
— Novelle
— Flugblatt
— wissenschaftlicher Text
— Abkommen
— Ballade
— Wahlplakat

Übung 2:

a) Welches Grundmodell herrscht im folgenden Text vor?

Vokabeln pauken

Reformwütige Pädagogen und psychologisch vorbelastete Erzieher werden bei ihrer Forderung nach einer antiautoritären Schule, die nach den neuesten Erkenntnissen der Psychologie und Pädagogik arbeitet, die Tatsache nicht leugnen können, daß der effektive Vokabel- und Formelschatz des Absolventen herkömmlicher Schulausbildung in der Regel größer ist, als das bei einem Schüler der antiautoritären Schule der Fall sein dürfte.

3. Wie gewinnt man einen Zugang zum Text?

Diese Tatsache — man mag sie für positiv oder negativ halten — könnte sicherlich durch Untersuchungen des Wissensstandes bei Schülern beider Erziehungsrichtungen nachgewiesen werden.

Jene Forderungen nach einer Schulausbildung ohne Zensurenzwang und Prüfungsdruck lassen nur zu oft außer acht, daß bei dem ständigen Kampf des Schülers gegen den eigenen „inneren Schweinehund" der Schüler den Erfahrungen nach doch der Verlierer sein wird.

Ich wage die Behauptung, daß die Schule der Zukunft ohne jenen so verpönten Leistungs- und Prüfungszwang das ohnehin schon niedrige Bildungsniveau der herkömmlichen Schule nicht erreichen kann, ja daß sie ein gewisses Bildungsminimum wohl nicht überschreiten wird. Die Gründe hierfür liegen meiner Meinung nach in der Unfähigkeit des jungen Menschen, gewisse Notwendigkeiten zu erkennen, anzuerkennen und die daraus folgenden Konsequenzen zu ziehen.

Die Schule alter Form hat diese Unfähigkeit des jungen Menschen durch den ihr eigenen Lernzwang zum größten Teil ausgleichen können. Das Ergebnis dieses jahrhundertelangen Zwanges war der mit Vokabeln und Formeln „vollgestopfte" Schüler, der zwar oft nicht recht wußte, was er mit seinem so mühselig erlernten Wissen anfangen sollte, der dieses Wissen aber immerhin besaß. Ohne Zweifel war der Preis für dieses Wissen hoch. Aber der Preis der antiautoritären Schule könnte noch höher sein, denn der Absolvent wird neben der Unfähigkeit zur Wissensanwendung selbst dieses Wissen nicht einmal besitzen.

Die Konsequenz meiner Theorie wäre die Forderung nach autoritärer Schulausbildung, da diese ja im Gegensatz zur antiautoritären Schule immerhin noch einen gewissen Lernerfolg aufzuweisen hätte.

Ich bin mir bewußt, daß meine Gedanken ohne Zweifel einer wissenschaftlichen Grundlage entbehren, aber wer die so oft zitierte junge Generation ein wenig kennt, der wird mir zumindest nicht ganz unrecht geben.

Wenn es in Zukunft nicht gelingen wird, junge Menschen aus ihrer Unfähigkeit zur Erkenntnis lebenswichtiger Notwendigkeiten und Daseinsforderungen zu befreien und wenn man ihnen gleichwohl ein antiautoritäres Spielfeld zur Verfügung stellt, dann wird die Schule der Zukunft eine Hochburg menschlicher Dummheit sein.

KARL KOCH, *20 Jahre*

Arbeitstechniken: Lesen

---

b) Und hier?

Einst war Information Mangelware: Ein Brief, eine Zeitung, ein gelegentliches Telegramm, ein Konzert der Straßenmusikanten, eine Völkerschau im Zirkus, das waren die dürftigen Informationen, welche die meisten Menschen noch vor wenigen Generationen erreichten. Vor hundert Jahren war mein Urgroßvater in seinem Dorfe der einzige, der sich eine Zeitung hielt. Zu ihm kamen am Abend interessierte Freunde und diskutierten über die „neuesten Nachrichten", die einige Wochen alt gewesen sein mögen.

Heute dagegen leben wir in einem Überfluß an Informationen: Bücher, Tageszeitungen, Rundfunk und Fernsehen unterrichten uns momentan und ausgiebig über jedes Detail des Weltgeschehens, ja selbst Vorgänge im Weltraum können wir zu Haus beobachten. War früher Information Mangelware, so ist sie heute im Überfluß vorhanden, hungerte einst die Gesellschaft nach Informationen, so leidet sie heute an Informationsüberflutung, und zu den Stoffwechselkrankheiten gesellen sich die Informationswechselkrankheiten.

Auf eine kurze Formel gebracht: Die moderne Industriegesellschaft ist eine „informierte Gesellschaft".

KARL STEINBUCH

3.2 Welche Arbeitstechniken helfen bei der Texterschließung?

3.2.1 Vertiefendes Lesen

Will man beim Lesen eines anspruchsvollen Textes die Gedanken des Autors nachvollziehen, also aktiv **mit-denken,** so ist es wohl unerläßlich, den Text **mehrmals** zu **lesen.**

— Beim ersten Lesen erfährt man meist in einem spontanen Vor-Verständnis, worum es überhaupt geht,

— beim zweiten Lesen kann man dann bereits die einzelnen Besonderheiten wahrnehmen, um dann

— beim dritten Lesen Zusammenhänge herzustellen.

Das macht natürlich Arbeit; aber sie lohnt sich.

3. Wie gewinnt man einen Zugang zum Text?

Diese vertiefende Annäherung muß allerdings nicht immer in getrennten Arbeitsschritten verwirklicht werden. Ist ein Text sehr lang, so ist es ratsam, auf das dritte Lesen zu verzichten, damit die Freude an der Arbeit nicht in Arbeit ohne Freude umschlägt.

Wir lassen uns in dieser Phase bereits von den beiden **Leitfragen** leiten:

Was steht da?	(Inhalt)
Wie steht es da?	(Aufbau, Gestaltung)

3.2.2 Differenzierendes Unterstreichen

Erfahrene Leser haben ein bewährtes Hilfsmittel: **Sie lesen mit dem Bleistift.**

Manche beginnen hiermit zwar schon bei der ersten Lektüre; sie lassen sich jedoch dadurch die Gelegenheit entgehen, einen Text unmittelbar auf sich wirken zu lassen.

Andere gönnen sich zunächst den Lesegenuß ohne steuernde Reflexion und setzen dann bei der zweiten Lektüre mit der verstandesmäßigen Durchdringung ein.

Mit dem Unterstreichen setzen wir uns in das Gleichmaß der Zeilen **optische Schwerpunkte.**

Solcher Blickfang kann
— Satzzeichen
— einzelne Begriffe
— Sätze
— ganze Abschnitte

hervorheben, deren Stellenwert besondere Kennzeichnung verdient.

Ganz große Könner gewöhnen sich an, **farbig** zu unterstreichen, so daß sie schon beim Hinschauen erkennen,
— hier steht Wichtiges   (z. B. Bleistift)
— da steht noch   (z. B. Kugel-
  Wichtigeres   schreiber)
— dort steht das Wichtigste   (z. B. Rotstift).

Ein Vierfarbstift gibt bei diesem Arbeitsverfahren darüber hinaus noch eine einfache Zusatzmöglichkeit: Eine weitere Farbe steht für die Hervorhebung von textspezifischen Kernworten (z. B. Namen, Buchtiteln o. ä.) zur Verfügung. Durch diese Markierung findet man sich — vor allem in langen Texten — leichter zurecht.

(Wem diese Arbeitstechnik beim Lesen zusagt, der kann sie auch beim Schreiben — beispielsweise beim Exzerpieren für ein Referat — verwenden. Solche Mehrfarbigkeit schafft Strukturen und erleichtert den Überblick über das, was man aus Büchern zusammengestellt hat.)

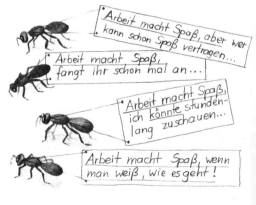

Arbeit macht Spaß, aber wer kann schon Spaß vertragen...

Arbeit macht Spaß, fangt ihr schon mal an...

Arbeit macht Spaß, ich könnte stundenlang zuschauen...

Arbeit macht Spaß, wenn man weiß, wie es geht!

3.2.3 Ergänzendes Kommentieren

Bücher sind keine Heiligtümer. Jeder Autor
müßte sich freuen, wenn sein Text den Leser
— im wahrsten Sinne des Wortes —
anspricht.
Dabei kommt etwas im Leser in Bewegung,
er reagiert. Möchte er auch antworten, dann
sollte er es tun, schriftlich natürlich, am Rand
des Textes. Die Fachleute nennen dies vor-
nehm „Kommentieren". Gemeint ist jegliche
Art von Randbemerkung (Marginalie).

Zum Beispiel:
— wertend, etwa

!!   (d. h. Dem stimme ich voll zu.)

?   (d. h. Das verstehe ich nicht.)

↩   (d. h. Hier bin ich ganz anderer Auffassung.)

doof !

— beschreibend, etwa

Einleitung, Hauptteil, Schluss
These
Refrain
Zusammenfassung

— analysierend, etwa

siehe vorige Seite
Widerspruch zu Seite 7
vgl. ähnliche Gedanken bei ...
wichtig für Schlussfolgerung

Aber:

25

3. Wie gewinnt man einen Zugang zum Text?

Als Lesezeichen

Absoluter Quatsch! Denkste! — Wird ja immer schöner! — Na, ja! Beweisführung oberfaul! — Autor spinnt!

Was ist das? Es sind Randzitate. Ich fand sie kürzlich so am Druckrand eines populärphilosophischen Buches, das ich mir, um eine alte Bildungslücke wenigstens partiell zu kitten, aus unserer städtischen Bücherei entliehen hatte. Ein früherer Entleiher hatte die heftigen Marginalien neben den Text geschmettert, hatte das Buch mit Vehemenz und Kopierstift kommentiert. Ein konträrer Leser hatte Dampf abgelassen und dabei das geliehene Buch entgelten lassen, was ihn am Autor offenbar schrecklich reizte. Lauter laute Zwischenrufe am Rand.

Bei entliehenen Büchern soll man das, versteht sich, möglichst nicht tun. Hier war die Folge, daß mich nun meines Vorlesers Invektiven, die Nachlässe seiner Wut, plötzlich vielfach mehr interessierten als des armen, eigentlich ganz redlichen Autors gar nicht dumme Meinung. Nach dem ersten Buchdrittel hatte sich mein Vorentleiher wohl verausgabt. Plötzlich keine Schmetter-Marginalien mehr; entweder war er überzeugt worden. Oder — und das liegt näher — er hatte das Buch in die Ecke gefeuert; so sah es auch aus.

Wer in fremden Büchern anstreicht und schreibt, der besudelt sie und ist ein Ferkel, ohne Frage. Aber welche Lust, welche legitime Besitzergreifung bedeutet es doch, mit dem aktiven Bleistift in der Hand zu lesen, mit nervöser Aufmerksamkeit Ausrufezeichen an den Rand zu setzen — oder Fragezeichen, Unterstreichungen, während man liest, beteiligt zu tätigen.

Wie habe ich, da ich jung und jähzornig las, in meinem Nietzsche gewütet! Wie mit dem Bleistift meinem Schopenhauer gehuldigt! Wie mit Karl Kraus gehadert! Wie Schillers Denkschriften, indem ich nur immer selig anstrich, mir innig angeeignet! Bücher werden richtig und aktiv eigentlich nur mit dem Stift in der Hand gelesen. Aber eben, bitte, nur die eigenen!

FRIEDRICH LUFT

Verständnisprobleme: sprachliche Schwierigkeiten

3.3 Welche Verständnisprobleme müssen gelöst werden?

3.3.1 Sprachliche Schwierigkeiten

Wie gut, daß wir Deutsch können. Da haben wir wenigstens keine sprachlichen Schwierigkeiten!
Oder? Sollten vielleicht doch die Fachleute recht haben, die uns vorrechnen, daß wir nur einen sehr kleinen Teil des deutschen Wortvorrats aktiv benutzen, während der Hauptteil der über 300 000 Wörter als **passiver Wortschatz** „auf Eis liegt"? Das hieße ja, daß eine große Anzahl von Wörtern uns zwar grundsätzlich bekannt ist, aber nicht spontan zur Verfügung steht. Das heißt auch, daß man hier und da als Deutscher bei einem deutschen Wort einmal ins Stocken gerät.

Und sonst?

$$|\overrightarrow{AB}| = \left| \begin{pmatrix} -10 \\ 10 \\ 6 \end{pmatrix} \right| = \sqrt{(-10)^2 + 10^2 + 6^2}$$

$$= \sqrt{100 + 100 + 36} = \sqrt{236}$$

Solche Spezialsprachen brauchen zwar nur die Spezialisten zu verstehen; wer aber als Heimwerker einen „Flansch" festdreht oder als Schiffsgast nach „achtern" gebeten wird, der merkt, wie Ausdrücke aus der **beruflichen Fachsprache** und **regionale Sonder-** wörter Eingang in unseren alltäglichen Wortschatz gefunden haben. Da bleibt es nicht aus, daß ein Kölner Geschäftsmann angesichts einer bayerischen Speisekarte unsicher wird, was er sich unter „Radi" oder „Kren" vorzustellen hat, und ein pfälzischer Drogist stutzt, wenn eine Hamburgerin einen „Feudel" bei ihm kaufen möchte.*)

Wir sehen, kein Deutscher kann jedes deutsche Wort kennen.

Wie sollte man da alle **Fremdwörter** kennen, mit denen unser Wortschatz in wachsendem Maße erweitert wird? Die zunehmende Internationalität der Beziehungen sorgt für rasche Übernahme und Angleichung zahlreicher angelsächsischer Wörter, wie z. B. „T-Shirt", „joggen", „timing". Auch aus Wirtschaft, Wissenschaft und Technik fließen viele Fremdwörter in unsere Alltagssprache ein, wie z. B. „bilaterales Handelsabkommen", „audiovisuelle Eindrücke", „empirische Methode". Was tun? Natürlich nachschlagen! Wo? Im Duden oder in einem anderen **Nachschlagewerk**. Hierbei gilt die Faustregel:

Wer glaubt,
alles zu wissen,
ist dumm.

---

*) Radi — bayer.-öster. für Rettich
  Kren — bayer.-öster. für Meerrettich
  Feudel — niederdeutsch für Scheuerlappen
    (Bodentuch)

3. Wie gewinnt man einen Zugang zum Text?

Übung 3

Schauen wir doch gleich einmal nach, welche Bedeutung die beiden Wörter haben, die auf Seite 7 und 26 sicher unklar waren:

„Remedur"

„Invektive"

Und wie wär's mit dieser kleinen Fingerübung?

Unterstreichen Sie bitte das Richtige, ohne vorher ein Lexikon zu befragen:

„ambivalent": doppeldeutig / doppelwertig / unentschieden

„Spinett": Vorgänger des Klaviers / Klarinettenart / Rokokoschrank

„Clan": politischer Geheimbund / schottischer Familienverband / Metallart

3.3.2 Sachliche Fragen

Doch nicht immer reicht es aus, sich in einem Nachschlagewerk über die lexikalische Bedeutung eines Wortes zu informieren. Machen wir uns dies an einem Beispiel klar:

Es hat Zeiten in der Geschichte der Menschheit gegeben, da die Erde plötzlich wärmer oder stärker radioaktiv geworden zu sein scheint . . . Das soll keine wissenschaftliche Behauptung sein, aber es bleibt eine Tatsache, daß die Menschheit in ihrer Geschichte drei- oder viermal einen Sprung nach vorn getan hat, der unter normalen Entwicklungsbedingungen undenkbar gewesen wäre. So zum Beispiel um 3000 v. Chr., als ganz plötzlich eine Zivilisation entstand — und zwar nicht nur in Ägypten und Mesopotamien, sondern auch im Industal. Im späten 6. Jahrhundert v. Chr. gab es nicht nur das Wunder Ionien und Griechenland, wo Philosophie, Wissenschaft, Kunst und Dichtung einen Stand erreichten, wie er zweitausend Jahre lang nicht wieder erreicht wurde, sondern auch Indien erlebte eine geistige Aufklärung, die in der Geschichte ihresgleichen sucht. Einen weiteren Höhepunkt gab es um das Jahr . . .

CENNETH CLARK

Verständnisprobleme: sachliche Fragen

Vom bloßen Wortgebrauch her werden wir uns bald im Text zurechtfinden; aber welche sachlichen Zusammenhänge verbergen sich hinter den Wörtern? Wer weiß schon Bescheid über die ägyptische, mesopotamische und indische Zivilisation um das Jahr 3000 v. Chr.? Und wer kennt die ionische, griechische und indische Kultur des 6. Jahrhunderts v. Chr. so genau, daß er den Kerngedanken des Textes nachvollziehen kann?

Hierbei gilt wieder die Faustregel:

Wer glaubt, alles zu wissen, ist dumm.

Und schon greifen wir zu einem Geschichtsbuch und versuchen, **die sachlichen Fragen** zu klären. Vorsicht jedoch! Nicht schmökernd „hängenbleiben", sondern als Sachkenner wieder zum Ausgangstext zurückkehren, damit man sich nicht das Erfolgserlebnis beim erneuten Lesen entgehen läßt: Der informierte Leser hat mehr vom Text!

3.4 Wie weit sind wir jetzt?

Spielen wir das bisher Erarbeitete an einem Beispiel durch:

Übung 4

Über die Karriere eines Bestsellers, am Beispiel Eric Malpass

Auf dem größten Umschlagplatz für Bücher und Buchrechte der Welt, auf der Frankfurter Buchmesse, werden jedes Jahr fast sechsunddreißigtausend neue deutsche Bücher vorgeführt. Einige wenige davon, ein bis zwei Dutzend, sind dazu bestimmt, Bestseller zu werden. Ein Bestseller ist nicht einfach ein Buch, das sich etwas besser verkauft als die übrigen. Ein Bestseller ist ein Buch, das die Normalauflage von fünfhundert bis fünftausend Exemplaren gleich um das Zehn- bis Hundertfache übertrifft. Der Abstand zwischen dem normalen Buch und dem Bestseller ist in den letzten Jahren immer größer geworden. Es gibt stille Bestseller — Logarithmentafeln, Tabellenbücher, Autoatlanten —, die als solche gar nicht bemerkt werden. Um andere, kurzlebigere, geht es um so lauter zu. Die übliche herablassende Meinung über die Gründe von Bestsellerfolgen ist die: sie würden von cleveren Geschäftsleuten in Riesenverlagen durch gigantische Werbeaktionen hochgeputscht. Trifft das zu?

3. Wie gewinnt man einen Zugang zum Text?

Der Bestseller „Morgens um sieben ist die Welt noch in Ordnung" stammt nicht von einem Routinier. Der Verfasser ist ein sechzigjähriger ehemaliger Bankbeamter, den der Erfolg unverhofft erwischt hat. In seinem Buch geht es um eine Familie als Trutz- und Schutzgemeinschaft gegen die Gefahren der Außenwelt. Hauptfigur ist ein sozusagen „goldiger" Junge. Ferner wird ein scheinbar etwas lockeres Mädchen ordentlich unter die Haube gebracht, und eine verklemmte Jungfer, über deren Pech sich der Leser zunächst amüsieren darf, bekommt zum Trost für Leserinnen in ähnlicher Lage auch noch einen Mann ab. Über den ganzen Clan herrscht ein grantiger, aber gütiger Patriarch. Und selbstverständlich spielt alles fernab vom bösen Großstadtleben im ländlichen Frieden. Eine anachronistische heile Welt wird kurz verstört, um nach der Wiederherstellung der Ordnung um so heiler dazustehn. So ganz harmlos ist das nicht, aber es ist auch nicht Berechnung. Wie manche andere, die ihm zu seinem Erfolg verholfen haben, ist der Autor ein echter Naiver.

ZIMMER, DIETER E.: Über die Karriere eines Bestsellers am Beispiel Eric Malpass. In: Literaturbetrieb in Deutschland. Hrsg. H. L. Arnold. Stuttgart/München/Hannover: Verlag Richard Boorberg, 1971 (Edition u. Kritik).

Mit welchem Arbeitsschritt beginnen wir? Wir müssen zunächst herausfinden, welches Grundmodell dominiert. (Der **Kontext** ist uns hier nicht gegeben.)

Wir schließen aus dem Titel „Literaturbetrieb in Deutschland" und den bibliographischen Angaben, daß es sich wahrscheinlich um einen Ausschnitt aus einem Sachbuch handelt, und folgern, daß unsere Aufmerksamkeit wohl stärker von dem sachlichen Inhalt als von der sprachlichen Gestaltung in Anspruch genommen werden wird. (Hier ist allerdings solange Vorsicht geboten, bis wir solche Schlußfolgerung überprüft haben.) Nachfolgend wird **eine Möglichkeit** der Ausführung vorgestellt. Sie ist zwar als Kontrollhilfe gedacht, da es aber nicht *die* Lösung gibt, kann sie nur **als Beispiel** verstanden werden.

Über die Karriere eines Bestsellers, am Beispiel Eric Malpass

Auf dem größten Umschlagplatz für Bücher und Buchrechte der Welt, auf der Frankfurter Buchmesse, werden jedes Jahr fast sechsunddreißigtausend neue deutsche Bücher vorgeführt. Einige wenige davon, ein bis zwei Dutzend, sind dazu bestimmt,

30

Zusammenfassung

Bestseller zu werden. Ein Bestseller ist nicht einfach ein Buch, das sich etwas besser verkauft als die übrigen. Ein Bestseller ist ein Buch, das die Normalauflage von fünfhundert bis fünftausend Exemplaren gleich um das Zehn- bis Hundertfache übertrifft. Der Abstand zwischen dem normalen Buch und dem Bestseller ist in den letzten Jahren immer größer geworden. Es gibt stille Bestseller — Logarithmentafeln, Tabellenbücher, Autoatlanten —, die als solche gar nicht bemerkt werden. Um andere, kurzlebigere, geht es um so lauter zu. Die übliche herablassende Meinung über die Gründe von Bestsellerfolgen ist die: sie würden von cleveren Geschäftsleuten in Riesenverlagen durch gigantische Werbeaktionen hochgeputscht. Trifft das zu?

Der Bestseller „Morgens um sieben ist die Welt noch in Ordnung" stammt nicht von einem Routinier. Der Verfasser ist ein sechzigjähriger ehemaliger Bankbeamter, den der Erfolg unverhofft erwischt hat. In seinem Buch geht es um eine Familie als Trutz- und Schutzgemeinschaft gegen die Gefahren der Außenwelt. Hauptfigur ist ein sozusagen „goldiger" Junge. Ferner wird ein scheinbar etwas lockeres Mädchen ordentlich unter die Haube gebracht, und eine verklemmte Jungfer, über deren Pech sich der Leser zunächst amüsieren darf, bekommt zum Trost für Leserinnen in ähnlicher Lage auch noch einen Mann ab. Über den ganzen Clan herrscht ein grantiger, aber gütiger Patriarch. Und selbstverständlich spielt alles fernab vom bösen Großstadtleben im ländlichen Frieden. Eine anachronistische heile Welt wird kurz verstört, um nach der Wiederherstellung der Ordnung um so

3. Wie gewinnt man einen Zugang zum Text?

heiler dazustehn. So ganz harmlos ist das nicht, aber es ist auch <u>nicht Berechnung</u>. Wie manche andere, die ihm zu seinem Erfolg verholfen haben, ist <u>der Autor ein echter Naiver.</u>

na ja…

DIETER E. ZIMMER

Hier helfen Duden und Lexikon weiter:

Log|arith|men|ta|fel; log|arith-mie|ren *gr.* (mit Logarithmen rechnen; den Logarithmus berechnen); log|arith|misch; Log-arith|mus (math. Größe; Zeichen: log) *m*; -, ...men

Rou|ti|ne ([handwerksmäßige] Gewandtheit; Fertigkeit, Übung) *w*; -; Rou|ti|ne|an|ge|le|gen|heit; rou-ti|ne|mä|ßig; Rou|ti|ne_sa|che, ...über|prü|fung, ...un|ter|su-chung; Rou|ti|nier [...ni̯e] (jmd., der Routine hat) *m*; -s, -s; rou|ti-niert (gerissen, gewandt)

Ana|chro|nis|mus *gr.* [...kro...] (falsche zeitliche Einordnung; durch die Zeit überholte Einrichtung) *m*; -, ...men; ana|chro|ni|stisch

Buchhändlermesse, die Zusammenkunft der Buchhändler, die früher alljährlich als Ostermesse in der mit dem Sonntag Kantate beginnenden Woche in Leipzig stattfand. Sie war einst wichtig für die buchhändler. Abrechnung der als → Konditionsgut gelieferten Bücher. Seit 1949 wird in Frankfurt a. M. alljährlich im Sept./Okt. die *Frankfurter Buchmesse* mit internationaler Beteiligung durchgeführt. Sie hat sich zur bedeutendsten B. der Welt entwickelt.

Buchmesse, Frankfurter B., →Buchhändler-messe.

4. Wie durchschaut man einen Text?

4.1 Wovon handelt der Text?

4.1.1 Zentrales Thema

Nach diesen Vorarbeiten geht's nun zur Sache, nämlich zur Frage, um welches zentrale Thema es sich bei dem Text handelt. Hier ist Treffsicherheit gefragt, da der gefundene Leitgedanke unsere weitere Arbeit merklich prägen wird. Zielen wir gut?

Übung 5

a) Um welches zentrale Thema geht es in diesem Ausschnitt?

Als die Menschen in der Anfangsphase der Industrialisierung täglich 12—13 Stunden arbeiten mußten, war die Wiederherstellung der Arbeitskraft die einzige Funktion der Freizeit. Wie das Arbeitstier, so mußte auch der Mensch sich einfach durch Ausruhen erholen. Erst mit dem Rückgang der Arbeitszeit konnte sich eine echte Aktivität für eine menschliche Gestaltung der Freizeit entwickeln. Die regenerative Funktion der Freizeit bleibt aber auch bei fortschreitender Entwicklung die fundamentale Funktion der Freizeit. Ohne ihre Erfüllung kann weder die vitale noch die psychische Gesundheit des Menschen auf die Dauer erhalten bleiben.
Mit der zunehmenden Mechanisierung zahlreicher Arbeitsvorgänge sind unvermeidlich gewisse menschliche Verengungen, Verkümmerungen und Entfremdungen verbunden (HABERMAS 1958). Die daraus sich ergebende psychische Belastung und nervöse Überreizung würden den Menschen auf die Dauer den Zwängen des Arbeitsprozesses hoffnungslos ausliefern, wenn er nicht immer wieder von seinen einseitigen Belastungen befreit würde. Die technische Perfektion der Produktionsprozesse verlangt als notwendiges Korrektiv die emanzipatorische Funktion der Freizeit. Freizeit schafft zumindest die Voraussetzung dafür, daß der Mensch wieder seiner selbst bewußt werden kann.

ALFONS AUER

33

4. Wie durchschaut man einen Text?

b) Und welches Thema steht im Mittelpunkt dieses Textes?

Hobbyraum

Meine Söhne, sagt Herr Fahrenkamp, sind wortkarg genug. Ich frage sie dieses und jenes, ich bin kein Unmensch, es interessiert mich, was die Jugend denkt, schließlich war man selbst einmal jung. Wie soll nach eurer Ansicht die Zukunft aussehen, frage ich und bekomme keine Antwort, entweder meine Söhne wissen es selber nicht oder sie wollen sich nicht festlegen, es soll alles im Fluß bleiben, ein Fluß ohne Ufer sozusagen, mir geht das auf die Nerven, offen gesagt. Darüber, was es nicht mehr geben soll, äußern sich meine Söhne freimütiger, auch darüber, wen es nicht mehr geben soll, den Lehrer, den Richter, den Unternehmer, alles Leute, die unseren Staat aufgebaut haben, in größtenteils demokratischer Gesinnung, aus dem Nichts, wie man wohl behaupten kann, und das ist jetzt der Dank. Schön und gut, sagen meine Söhne, aber Ihr habt etwas versäumt, und ich frage, was wir versäumt haben, die Arbeiter sind zufrieden, alle Leute hier sind satt und zufrieden, und was gehen uns die Einwohner von Bolivien an. Ihr habt etwas versäumt, sagen meine Söhne und gehen hinunter in den Hobbyraum, den ich ihnen vor kurzem habe einrichten lassen. Was sie dort treiben, weiß ich nicht. Meine Frau meint, daß sie mit Bastelarbeiten für Weihnachten beschäftigt sind.

MARIE LUISE KASCHNITZ

4.1.2 Vorläufige Inhaltswiedergabe

Zum nächsten Arbeitsschritt ist es nur ein Katzensprung, denn er ergibt sich sozusagen aus dem vorigen. Um nämlich das zentrale Thema erkennen zu können, muß man bereits den Inhalt gesichtet haben, muß Wichtiges von Nebensächlichem geschieden haben und dem unsichtbaren „roten Faden" gefolgt sein.

Spätestens jetzt sollte man beginnen, sich auf einem gesonderten Blatt **Notizen** zu machen. Nein, nicht ins Hausheft (dort findet man sie nur allzu schwer wieder), sondern auf DIN-A-4-Blätter, die man später systematisch ordnen und abheften kann.

Nun erstellen wir mit eigenen Worten eine **Inhaltswiedergabe.** Dabei **raffen** wir den Text natürlich stark und reduzieren ihn auf das „Gerippe". Ein Geheimtip:

— So wenig wie möglich

— so viel wie nötig

soll übrigbleiben. Wichtig ist, daß man **gleichmäßig** rafft, um nicht innerhalb des Textes die Schwerpunkte zu verschieben. Und warum ist diese Inhaltsangabe erst **vorläufig?** Weil wir nicht wissen, ob bei näherem Hinsehen nicht doch noch Korrekturen notwendig werden.

zentrales Thema
vorläufige Inhaltswiedergabe

Übung 6

Geben Sie den Inhalt des Textausschnitts in
knappen Worten wieder:

Café de la Terrasse

*Ein Dutzend verwahrloste Gefangene, geführt von einem russischen Soldaten, gehen
durch eine Straße; vermutlich kommen sie aus einem fernen Lager, und der junge Russe muß sie irgendwohin zur Arbeit führen oder, wie man sagt, zum Einsatz. Irgendwohin; sie wissen nichts über ihre Zukunft; es sind Gespenster, wie man sie allent-
halben sehen kann. Plötzlich geschieht es, daß eine Frau, die zufällig aus einer Ruine
kommt, aufschreit und über die Straße heranläuft, einen der Gefangenen umarmt —
das Trüpplein muß stehen bleiben, und auch der Soldat begreift natürlich, was sich
ereignet hat; er tritt zu dem Gefangenen, der die Schluchzende im Arm hält und fragt:*
„Deine Frau?"
„Ja —."
Dann fragt er die Frau:
„Dein Mann?"
„Ja —."
Dann deutet er ihnen mit der Hand:
„Weg — laufen, laufen — weg!"
*Sie können es nicht glauben, bleiben stehen; der Russe marschiert weiter mit den elf
andern, bis er, einige hundert Meter später, einem Passanten winkt und mit der Ma-
schinenpistole zwingt, einzutreten: damit das Dutzend, das der Staat von ihm verlangt,
wieder voll ist.*

MAX FRISCH

4. Wie durchschaut man einen Text?

4.2 Welche Struktur hat der Text?

Nun wollen wir das „Textgewebe" in seinen „Einzelfäden" und seiner „Webemethode" unter die Lupe nehmen.
Um uns aber nicht in die Ratlosigkeit im Sinne eines Drudel-Rätsels zu führen, (dessen Reiz im Ausschnittcharakter des Bildes liegt), wollen wir zuerst das Ganze in Augenschein nehmen, um uns einen Überblick über die **Gesamtkomposition** zu verschaffen. Wir wollen also der Frage nachgehen:

Wie ist der Text aufgebaut?

Dies hat einen praktischen und einen theoretischen Nutzen:
Zum einen ermöglicht die Einsicht in das Bauprinzip, daß der Text überschaubar wird und sich (vorübergehend) in Teile gliedern läßt, die man gut handhaben kann. Zum anderen können wir auf diese Weise die **Gedankenführung** erkennen und dem Autor gleichsam „in die Karten schauen": Durch Offenlegung der **gedanklichen Einheiten** und Feststellung ihres **Verhältnisses zueinander** können wir die einzelnen Gedankenschritte nachvollziehen und die Struktur des Ganzen aus der Vogelperspektive überblicken.

Wenn wir bei unserem vorigen Arbeitsschritt keinen Fehler gemacht haben, so zeigen sich jetzt deutliche Entsprechungen zwischen Inhaltsangabe und Gliederung.

Wie gehen wir nun im einzelnen vor?

4.2.1 Äußerer Aufbau

Manche Texte sind „analysefreundlich" geschrieben, indem sie schon vom Autor optisch sichtbar gegliedert sind:
Auffällige Einschnitte **(Zäsuren)** wie z. B. Absätze, Kapitel-, Strophen- oder Szeneneinteilungen liefern erste Anhaltspunkte für **strukturierende Schaltstellen,** und der Leser braucht nur noch die Berechtigung dieser Zäsuren zu erkennen. Oft aber fehlen solche visuellen Orientierungshilfen, und man muß den **Gliederungssignalen** selbst auf die Spur kommen. Wie man das macht?

Hier gibt es leider/natürlich wegen der Individualität jedes Textes kein Schema, nach dem wir vorgehen können. Statt dessen gibt es aber einige auffällige Textelemente, die „zäsur-verdächtig" sind, vor allem:

— **besondere Satzzeichen**

(z. B. Gedankenstrich, Doppelpunkt)

— **logische Partikeln**

(z. B. also, deswegen)

— **deutliche Zeitangaben**

(z. B. nun, danach)

— **poetische Elemente**

(z. B. Rhythmuswechsel, Wiederholungen)

36

Textstruktur:
äußerer Aufbau

Fehlen solche äußeren Anhaltspunkte, so lassen sich die Gedankenpausen auch vom Inhalt her erschließen: Unter der Leitfrage „Wovon ist die Rede?" ergibt sich dann eine vom Themenwechsel bestimmte Aufgliederung des Textes.

Mit der **Markierung** der gefundenen Zäsuren durch Schrägstriche ist dieser Arbeitsschritt beendet. (Falls das Arbeitsergebnis mit einigen Kommentaren aus der Vorbereitungsphase (vgl. S. 25) übereinstimmt, ist dies kein Nachteil . . .)

Wie solche äußere Strukturierung im einzelnen aussehen kann, sei an einigen Beispielen gezeigt:

Individuum, Gruppe, Gesellschaft

Wenn wir in unserm Leben beginnen, unsere Umgebung deutlicher wahrzunehmen und zu verstehen, sind wir schon lange Mitglied einer Gruppe. Die Familie ist die erste Gruppe, die unser Weltverständnis und unsre sozialen Einstellungen beeinflußt. Kein Mensch erfährt seine Umwelt unbeeinflußt. Unsere Eltern und die nahestehenden Menschen der frühen Kindheit sind eine psychologische und soziale Agentur der Gesellschaft, die uns Hilfen gibt, aber auch Regeln vermittelt, die wir einhalten müssen. /

In allen späteren Gruppen erweist sich dann, ob die Verhaltensregeln stimmen, die wir in der ersten Gruppe erlernten. Neue Anpassungsvorgänge an alterstypische Normen sind erforderlich. Sie bereiten uns auf die Erwachsenenwelt vor, in der wir uns selbst entscheiden müssen, welcher Gruppe wir uns anschließen wollen. Dabei stehen Familie, Betrieb, Freundeskreis und die verschiedensten Freizeitgruppen nebeneinander. So durchlaufen wir also verschiedene Gruppen, verlassen die eine und werden Teilnehmer und Mitglieder einer neuen Gruppe. Dabei ist die damit verbundene unbewußte Gefühlssituation eigentlich stets gleich. Das Modell von Abschied und Erwartung des Neuen bleibt gleich und ist sehr früh geprägt. Die Primärgruppe der Familie gibt uns

4. Wie durchschaut man einen Text?

sehr viel Geborgenheit, sie zu verlassen bedeutet einen großen Schritt, mit dem viele Ängste verbunden sein können. Man erkennt das auch daran, daß wir mehr als fünfzehn bis zwanzig Jahre brauchen, um uns aus der Primärgruppe der Familie zu lösen und uns so zu verselbständigen, daß wir eine eigene, neue Gruppe, eine Familie aufbauen können. /
Der Schritt in jede neue, unbekannte Gruppe ist mit Angst verbunden. Wir fürchten nämlich, nicht genügend anerkannt oder unter Umständen sogar abgelehnt zu werden. Wir möchten die gleiche Geborgenheit, gleiche Anerkennung und die gleiche Stellung haben, die wir schon in der Primärgruppe, der Familie, hatten und uns dort erkämpft haben. Zugleich hoffen wir aber auch, daß alle negativen bisherigen Erfahrungen aus der Familie in der neuen Gruppe nicht stattfinden werden. So wiederholt sich also in unserm Innern psychologisch zutiefst bei jedem neuen Übergang immer die gleiche Situation. /
Durch die Lösung von der Primärgruppe und den Weg durch die Sekundärgruppen von Kindergarten und Schule werden wir allmählich zum einzelnen, zum Individuum.

TOBIAS BROCHER

Bei der Gliederung dieses Textes haben wir keine Mühe, da er bereits durch Absätze vorstrukturiert ist, die jeweils inhaltlich Verschiedenes voneinander abgrenzen:

— Persönlichkeitsprägung durch die Primärgruppe: Familie
— Umstellung auf Sekundärgruppen
— Seelische Begleitumstände bei der Umstellung
— Folgen der Umstellung

Textstruktur: äußerer Aufbau

„Halt, Achmed, nich' auf die Uhr sehn — / heute nix Mittagspause. Seht mal, jetzt könnt ihr mal sehn, wie ich euch immer erzählt habe. Hier is jetzt Auftrag, vite-vite, Tempo. Kunde warten. Sind wir pünktlich, Montage pünktlich, exakt, gut. Kunde gut, Kunde zufrieden, exakt. Neu Auftrag, gut für Firma, gut für dich, gut für mich, immer neu Auftrag. Ihr viel Geld nach Haus schicken, compris? / Aber was is, wir nich' pünktlich, nich' exakt, kann drüben nich' montiert werden, nix Montage, nich' fini: Kunde nicht zufrieden, Kunde muß warten, kein Geld, für euch , für mich, ihr kein Geld nach Hause schicken, eure Mama traurig, compris? / So, und nu weitermachen, zwischendurch Stullen essen. Kriegst auch von mir, Achmed, nich am Essen sparen, nich' hungern, auch gut essen is' wichtig, gut essen is gut fleißig sein.“

Hier geben sich die Gliederungsstellen zu erkennen durch

— Satzzeichen   (Gedankenstrich)
— log. Partikel   („aber“)
— eine Art Zeitangabe   („so“).

Der Auszug des verlorenen Sohnes

Nun fortzugehn von alledem Verworrnen,
das unser ist und uns doch nicht gehört,
das, wie das Wasser in den alten Bornen,
uns zitternd spiegelt und das Bild zerstört;
von allem diesen, das sich wie mit Dornen
noch einmal an uns anhängt — fortzugehn
und Das und Den,
die man schon nicht mehr sah
(so täglich waren sie und so gewöhnlich),
auf einmal anzuschauen: sanft, versöhnlich
und wie an einem Anfang und von nah;
und ahnend einzusehn, wie unpersönlich,
wie über alle hin das Leid geschah,
von dem die Kindheit voll war bis zum Rand—:
Und dann doch fortzugehen, Hand aus Hand,
als ob man ein Geheiltes neu zerrisse,
und fortzugehn: wohin? Ins Ungewisse,
weit in ein unverwandtes warmes Land,
das hinter allem Handeln wie Kulisse
gleichgültig sein wird: Garten oder Wand;
und fortzugehn: warum? Aus Drang, aus Artung,
aus Ungeduld, aus dunkler Erwartung,
aus Unverständlichkeit und Unverstand:

Dies alles auf sich nehmen und vergebens
vielleicht Gehaltnes fallen lassen, um
allein zu sterben, wissend nicht warum —

Ist das der Eingang eines neuen Lebens?

RAINER MARIA RILKE

4. Wie durchschaut man einen Text?

Das dritte Beispiel wird zur:

Übung 7

Strukturieren Sie die 1. Strophe des Rilke-Gedichts, indem Sie nach dem poetischen Stilmittel der Wortwiederholung Ausschau halten, das zweimal durch den Einsatz eines bestimmten Satzzeichens unterstützt wird.

4.2.2 Innerer Aufbau

Nach Abgrenzen von Sinneinheiten geht es nun darum, deren Verhältnis zueinander zu durchschauen, d. h. die **Abfolge der Gedanken** zu ermitteln. Hierbei wollen wir versuchen, die Struktur des Gesamttextes jeweils graphisch zu veranschaulichen.
Bei diesem Arbeitsschritt zeigen unsere Vorüberlegungen zur Textintention (S. 13—21) ihre Wirkung; denn bei näherem Hinsehen wird deutlich, daß das Überwiegen eines bestimmten Grundmodells oft seine Entsprechung hat in einer bestimmten Bauform des Textes. Obwohl eindringlich vor einer schematischen Zuordnung zu warnen ist — schon

die Verringerung von so zahlreichen und unterschiedlichen Textarten auf nur drei Modelle läßt die Probleme ahnen —, ist nicht zu übersehen:

1. Bei **vorwiegend informativen Texten** ist die Gedankenfolge oft geprägt durch ein Nacheinander: Erst wird dieses beschrieben, dann jenes, dann das nächste.
Diese Reihung der Gedanken könnte bildlich etwa so dargestellt werden:

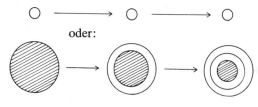

oder:

Ein Beispiel soll dies verdeutlichen. (Der Textausschnitt hat es zwar „in sich"; aber der Gebrauch von Nachschlagewerken kann uns inzwischen längst nicht mehr abschrecken.)

Die Mitglieder einer Gesellschaft — welche verschiedenen Glaubensüberzeugungen und Lebensweisen sie sonst trennen sollten — werden zusammengehalten von einem kodifizierbaren Minimalkatalog individual- und sozialethischer Normen. Sei-
5 nen konkreten Niederschlag findet dieses ethische Minimum in der Verfassung, die sich ein Staat gibt, in seinem positiven Recht[1] und seinen sozialen Spielregeln. Die Verfassung als oberste Rechtsnorm wiederum prägt Gesetzgebung, Rechtspre-

[1]„positives Recht" (Zeile 6/7) — schriftlich festgelegtes Recht

42

innerer Aufbau bei vorwiegend informativen Texten

chung und das gesellschaftliche Leben überhaupt. / Bei diesen
10 Basiswerten hat man einen quantitativ kleinen Bestand von
„absoluten" in der Natur des Menschen begründeten und einen quantitativ großen Bestand von „relativen", von Kultur zu
Kultur und Entwicklungsstufe zu Entwicklungsstufe wechseln-
den Werten zu unterscheiden. / Zu den absoluten Werten, die
15 zum Bios[2] des Menschen gehören und Geltung haben, seitdem es
Lebewesen gibt, gehören alle Gebote, die sich auf die Erhaltung
des eigenen Lebens und die Erhaltung des Lebens der unmittelbar Nächsten beziehen — / zu den relativen, kultur- und zeitbe-
dingten, also dem ständigen Wandel unterworfenen Normen
20 gehören fast alle Konventionen, die beispielsweise die Eigen-
tums-, die Sexual-, die Sozialordnung betreffen. Bei diesen
Normen handelt es sich um das gemeinsame Erbe an Traditio-
nen und Konventionen, das alle Mitglieder einer Gesellschaft
übernehmen und von dem sie sich in dieser oder jener Hinsicht
25 habituell oder intellektuell absetzen, aber im ganzen doch nicht
lösen können. Die gemeinsame Geschichte ist es also, die diese
gemeinsamen Vorstellungs- und Verhaltensweisen hervor-
bringt. Die allgemeinen geographisch-klimatischen, wirtschaft-
lichen, sozialen, zivilisatorischen und kulturellen Lebensbedin-
30 gungen einer Kultur schaffen — mit oder ohne Zustimmung der
davon Betroffenen — eine breite und festgegründete Basis von
allgemeinverbindlichen Überzeugungen und Reaktionsweisen.
Der Bestand an gemeinsamen Werten in einer Gesellschaft ist
also sehr groß. Er erstreckt sich über alle Lebensbereiche und
35 umfaßt allgemeinverbindliche Vorstellungen über das richtige
moralische Verhalten genauso wie gemeinsame Begrüßungsze-
remonien, Tischsitten und ästhetische Vor-Urteile. Es sind diese
vorreflektierten Gemeinsamkeiten, die eine Gesellschaft zu
einer Gesellschaft machen, nicht das intellektuelle Bekenntnis
40 zu irgendeiner Metaphysik oder Philosophie oder politischen
Lehre.

GERHARD SZCZESNY

---

[2] „Bios" (Zeile 15) — griech. Wort für „Leben"

4. Wie durchschaut man einen Text?

In diesem Textausschnitt wird eine Besonderheit der menschlichen Gesellschaft sachlich beschrieben: das Vorhandensein einiger gemeinsamer Verhaltensrichtlinien.

Hierbei wird zunächst die Kernaussage vorgestellt und anschließend im einzelnen erläutert. Die Zäsur in Zeile 9 trennt damit den Text grob in zwei Abschnitte.

Bei genauerem Hinsehen zeigt sich jedoch, daß auch Zeile 1—9 bereits aus einer Gedankenfolge besteht: Zeile 1—4 enthält die grundlegende Aussage (Die Mitglieder einer Gesellschaft werden durch bestimmte gemeinsame Normen verbunden); Zeile 4—7 konkretisiert die Aussage und nennt den Ort, an dem sich solche Normen niederschlagen (Staatsverfassung, Gesetze, Sozialordnung); Zeile 7—9 führt dann in weitere Einzelheiten und zeigt das Verhältnis der genannten Normenträger zueinander (Staatsverfassung als prägende Größe für Rechts- und Sozialvorstellungen). Der Verfasser bleibt zwar in diesem 1. Teil durchaus bei einer großräumigen Betrachtungsweise, richtet seinen Blick jedoch bereits schrittweise auf Teilaspekte.

Im 2. Teil wird diese Art der Gedankenführung konsequent fortgesetzt: Unter einer neuen Fragestellung — nämlich: Welcher Art sind die bisher allgemein eingeführten Normen? — werden Anzahl und Geltungsanspruch der Richtlinien hinterfragt. (In einer Gesellschaft sind einige „absolute" und zahlreiche „relative" Basiswerte wirksam). Die neuen Stichworte bedürfen der Klärung; diese erfolgt in Zeile 14—41, wobei der Gedankenstrich in Zeile 18 beide Teilgedanken deutlich voneinander trennt. Da im Textzusammenhang dem zweiten Teilgedanken größeres Gewicht zukommt, wird ihm viel Raum gegeben (Zeile 18—41), so daß die relativen Werte eine ausführliche Beschreibung erfahren.

Betrachtet man die Gedankenführung des gesamten Textausschnitts, so wird ersichtlich, daß der Verfasser bei der Beschreibung vom Grundsätzlichen ausgeht und seinen Blickwinkel immer enger auf das Einzelne richtet, d. h. nacheinander vom Allgemeinen zum Besonderen fortschreitet.

Eine Strukturgraphik könnte daher so aussehen:

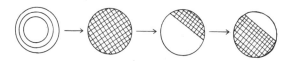

Zeile 1—9   Zeile 9—14 Zeile 14—18   Zeile 18—41

innerer Aufbau bei vorwiegend argument. oder appell. Texten

oder   4—7   9—11
                                        14—18
1—4   18—41

       7—9   11—14

   Zeile 1—9   Zeile 9—14   Zeile 14—41

2. Bei **vorwiegend argumentativen oder appellativen Texten**
ergibt sich die Textstruktur oft aus der Ver-
flechtung der Gedanken: Weil dieses gilt, gilt
jenes: daraus folgt das nächste.
Die Anordnung der Gedanken und deren
Funktion können dabei sehr unterschiedlich
ausfallen, da sie von der jeweiligen Aussage-
absicht und der besonderen Beschaffenheit
der einzelnen Bausteine bestimmt werden,
wobei deren Art (etwa These, Vermutung,
Behauptung, Aufforderung, Beispiel, Grund-
satz, Einschränkung, Folgerung u. ä.) jeweils
einen anderen Beitrag zum Gedankengebäu-
de leistet.
Solche Abhängigkeit der Gedanken voneinander ließe sich graphisch etwa so veranschaulichen:

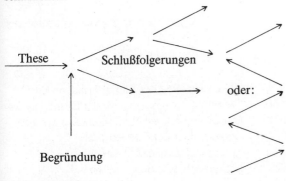

These

Schlußfolgerungen

oder:

Begründung

4. Wie durchschaut man einen Text?

Dies sei am Beispiel eines argumentativen
Textes gezeigt:

Ich möchte glauben, daß die Erfindung des Radios größere Verantwortung mit sich bringt als die Erfindung der Atombombe. / Denn Propaganda greift tiefer als Bomben. Die Bombe kann den Leib töten. Wer aber will, daß Bomben fallen, muß die Seelen der Menschen bewegen, mit deren stillschweigender Zu-
5 *stimmung die Bomben abgeworfen werden. Ich nenne das Radio deshalb nicht schlecht, aber verantwortungsvoll, denn es ist eines der Mittel, auf die Seelen der Menschen zu wirken. Wer es benutzt, muß wissen, was er tut. / Es gibt auch unbewußte Wirkungen, die vielleicht noch tiefer gehen. Es ist schön, am Radio zu hören, was man braucht, aber es ist gefährlich, sich daran zu*
10 *gewöhnen, alles zu hören, auch wenn man es nicht braucht. Der Radioapparat, der wahllos von morgens bis abends läuft, zerstört die akustische Welt des Menschen. Einst übte man die schöpferischen Fähigkeiten und suchte die Erholung in der Stille. Unsere Welt gewöhnt sich daran, die Erholung im Lärm zu suchen und verlernt dadurch die Übung der schöpferischen Fähigkeiten.*
15 *Diese Gefährdung könnte harmloser scheinen als die Gefahren, die ich vorher genannt habe. Aber ich glaube, sie ist nur deshalb unauffälliger, weil sie tiefer liegt. So wie die Propaganda mehr Verantwortung mit sich bringt als die Waffe, so greift, wie mir scheint, tiefer als die Propaganda das, was den Menschen für Propaganda anfällig macht. Und anfällig für jede Art von Propa-*
20 *ganda, möge sie nun zufällig gerade einer guten oder schlechten Sache dienen, ist derjenige, der seine Mitte nicht mehr in sich selbst hat, sondern für sein Leben angewiesen ist auf Reize von außen.*

CARL FRIEDRICH VON WEIZSÄCKER

Im vorliegenden Textausschnitt legt der Verfasser seine Meinung über mögliche Gefahren einer technischen Erfindung dar und begründet sie.

Er beginnt mit einer vorsichtig formulierten („Ich möchte glauben") These, Zeile 1/2 (Die Erfindung des Radios bringt größere Verantwortung mit sich als die Erfindung der Atombombe.), die er im folgenden mit zwei Argumenten untermauert (Zeile 2 „denn . . ." und Zeile 8 „auch . . ."). Beide Argumente (die tiefe und die unbewußte

innerer Aufbau bei vorwiegend literarischen Texten

Wirkung des Radiohörens) werden jeweils durch Erläuterungen erhellt (Zeile 3—7 und Zeile 8—22), so daß sich folgende Textstruktur herausstellt:

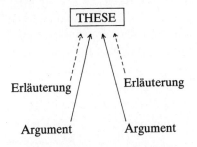

3. Bei **vorwiegend literarischen Texten** liegt das Bauprinzip <u>oft</u> im <u>kreativen Einsatz poetischer Stilmittel.</u>
Hierbei handelt es sich häufig um die wiederholte Verwendung von besonderen Sprachelementen (z. B. von Bildern, Reimen o. ä.), oft verbunden mit der Entgegenstellung kontrastierender Sprachelemente (z. B. Rhythmuswechsel, Gegenbegriff o. ä.)

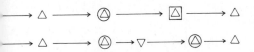

oder um die besondere Darstellung des Zeitablaufs (z. B. durch Raffung, Rückblende o. ä.).

Hierfür zwei Beispiele:

Reklame

Wohin aber gehen wir/
ohne sorge sei ohne sorge/
wenn es dunkel und wenn es kalt wird/
sei ohne sorge/
5 aber/
mit musik/
was sollen wir tun/
heiter und mit musik/
und denken/
10 *heiter/*
angesichts eines Endes/
mit musik/
und wohin tragen wir/
am besten/
15 unsre Fragen und den Schauer aller Jahre/
in die Traumwäscherei ohne sorge sei ohne sorge/
was aber geschieht/
am besten/
wenn Totenstille/

20 eintritt

INGEBORG BACHMANN

Das Bauprinzip des Gedichts läßt sich durch den Schrifttypwechsel bereits beim bloßen Hinschauen sinnfällig *ab-lesen.*
Sprechen wir den Text laut, dann *hören* wir zusätzlich das strukturschaffende Element: den Rhythmuswechsel.
Die Teile sind so angeordnet, daß die Zeilen mit den ungeraden bzw. mit den geraden

4. Wie durchschaut man einen Text?

Zahlenangaben jeweils zusammengehören: genau genommen entsteht daher am Ende jeder Zeile eine Zäsur.

Dem optisch-phonetischen Gliederungsprinzip entsprechen auch Inhalt und sonstige Sprachgestalt: Die beiden regelmäßig miteinander verwobenen Textteile sind Frage- und Antwortelemente eines indirekten Gesprächs. Das lyrische Ich fragt in existentieller Betroffenheit eindringlich nach einer Orientierung für das persönliche Leben und Sterben.

Reklamefetzen unterbrechen schroff den Gedankenfluß mit phrasenhaften Floskeln und Schein-Antworten, die dann bei der bohrendsten Frage („was aber geschieht wenn Totenstille eintritt", Zeile 17 ff.) verstummt.

Ein Vorschlag für die graphische Darstellung der Gedankenfolge:

Die Geschichte vom Honigtropfen

Ein Jäger pflegte in der Steppe die wilden Tiere zu jagen, / und da kam er eines Tages zu einer Höhle im Gebirge und fand in ihr ein Loch voll Bienenhonig. Er schöpfte etwas von jenem Honig in einen Schlauch, den er bei sich trug, legte ihn über die Schulter und trug ihn in die Stadt; ihm
5 *folgte sein Jagdhund, ein Tier, das ihm lieb und wert war. Beim Laden eines Ölhändlers blieb der Jäger stehen und bot ihm den Honig zum Kaufe an; / da kaufte ihn der Mann im Laden. / Dann öffnete er den Schlauch und ließ den Honig auslaufen, um ihn zu besehen. Dabei fiel ein Honigtropfen aus dem Schlauche auf die Erde. / Nun sammelten sich die Fliegen*
10 *um ihn, und auf die schoß ein Vogel herab. Der Ölhändler aber hatte eine Katze, und die sprang auf den Vogel los; als der Jagdhund die Katze sah, stürzte er sich auf sie und biß sie tot. / Da sprang der Ölhändler auf den Jagdhund los und schlug ihn tot; und zuletzt erhob sich der Jäger wider den Ölhändler und erschlug ihn. / Nun gehörte der Ölhändler in das eine*
15 *Dorf, der Jäger aber in ein anderes. Und als die Bewohner der beiden Dörfer die Kunde vernahmen, griffen sie zu Wehr und Waffen und erhoben sich im Zorne wider einander. Die beiden Schlachtreihen prallten zusammen, und das Schwert wütete lange unter ihnen, bis daß viel Volks gefallen war, so viele, daß nur Allah der Erhabene ihre Zahl kennt.*

Textstruktur:
graphische Darstellung

In diesem Text fällt die chronologische Darstellung eines Ereignisses auf, das sich in mehreren Etappen vollzieht. Diese werden jeweils durch Zeitangaben eingeleitet („da" in Zeile 1, 7, und 12; „nun" in Zeile 14) und im Verlauf des Textes immer häufiger durch weitere Zeitangaben ergänzt, bis das Geschehen in der lezten Etappe so dicht zusammengedrängt wird, daß die Zeitdauer des Erzählens (Erzählzeit) nicht mehr mit der Zeitdauer innerhalb der Erzählung (der erzählten Zeit) übereinstimmt.
Und in welchem Verhältnis steht nun der einleitende Hauptsatz zu der Steigerung (Klimax) des Geschehens zu einem Höhepunkt? Er führt zeitlich raffend („pflegte") in die Situation ein.
Der Aufbau könnte also etwa so veranschaulicht werden:

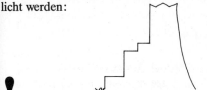

● Ein Spezieller Wink für längere Texte:
Ein Blick in das **Inhaltsverzeichnis** oder auf die **Überschriften** kann für das Erkennen des Bauprinzips nützlich sein.

Achtung:
Da wir wissen, daß die behandelten Grundmodelle nicht in Reinform auftreten, sollten wir den Mut haben, uns auf die Veranschaulichung der wichtigsten Gedankeneinheiten zu beschränken.

Zu guter Letzt:
noch ein paar Anregungen für den Fall, daß . . .

1.1 . . . ein Thema erst allgemein vorgestellt wird, dann Stück für Stück im Detail behandelt wird und die Ergebnisse zum Schluß noch einmal zusammengefaßt werden.

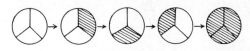

1.2 . . . die Aneinanderreihung von Gedanken durch Exkurse unterbrochen wird.

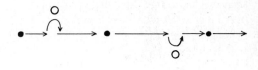

2.1 . . . einige Voraus-Setzungen die Geltung der Schlußfolgerung einsichtig machen sollen.

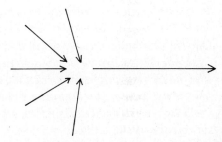

4. Wie durchschaut man einen Text?

2.2 . . . eine These sich aus dem Nachweis von Tatsachen ergibt und durch Einbettung in gesichertes Wissen gestützt wird.

3.1 . . . sich das Bauprinzip aus der Folge von Einleitung, Hauptteil und Schluß ergibt.

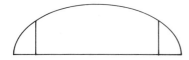

3.2 . . . sich eine Handlung textintern nach Rahmen- und Binnenhandlung strukturiert. (Der Leser erfährt die Haupthandlung als Erzählung einer Person aus einer „einrahmenden" Nebenhandlung.)

Wir sehen:
Da jeder Text in Inhalt und Form einmalig ist, gibt es **keine graphischen „Muster"**, und der **textgerechten Phantasie** sind keine Grenzen gesetzt.

Wenn es gelingt,
— Unsichtbares sichtbar zu machen und
— die Textstruktur übersichtlich auf *einen Blick* zu veranschaulichen, dann ist auch dieser Arbeitsschritt zufriedenstellend abgeschlossen.

Ob wir dies jetzt schaffen? Es käme auf den Versuch an.

Übung 8

Gliedern Sie den folgenden Textausschnitt nach inhaltlichen Gesichtspunkten (durch Schrägstriche) und veranschaulichen Sie das Ergebnis in einer Graphik.

Vielmehr beobachten wir, daß wehrhafte Tiere sehr oft komplizierte Turnierregeln entwickelt haben, die es erlauben, auf unblutige Weise zu kämpfen Das erfuhr ich auf sehr eindrucksvolle Weise auf den Galápagos-Inseln. Dort bevölkert die tangfressende Meerechse zu Hunderten die Lavaklippen. Die meiste Zeit des Jahres
5 *sind die Echsen durchaus verträglich, zur Fortpflanzungszeit allerdings grenzen die Männchen wenige Quadratmeter Fels als ihr Revier ab. Sie dulden dort einige Weibchen, greifen aber Männchen an, die sich dem Gebiet nähern. Dabei beißen sie einander nicht, und das ist wichtig, weil sie sehr scharfe dreispitzige Zähne*

Textstruktur:
graphische Darstellung

besitzen, mit denen sie einander leicht verletzen könnten. Das unblutige Turnier
10 wird durch ein Imponiergehabe eröffnet: Der Revierinhaber richtet seinen
Nacken- und Rückenkamm auf und zeigt dem Gegner seine Breitseite. Gleich-
zeitig erhebt er sich und läuft auf gestreckten Beinen, was ihn größer erscheinen
läßt. Er reißt das Maul in Beißdrohung auf und nickt mit dem Kopf. Weicht der
Rivale nicht, dann stürzt der Revierinhaber auf ihn los. Als ich das zum ersten
15 Male sah, meinte ich, die Tiere würden sich nun gleich ineinander verbeißen. Aber
nichts dergleichen geschah. Bevor die Meerechsen aneinandergeraten, senken sie
die Köpfe und stoßen Schädeldach gegen Schädeldach aufeinander. Es entwickelt
sich nun ein Kampf, in dessen Verlauf jeder den anderen vom Platz zu schieben
trachtet. Hornartige Schilder auf dem Schädeldach verhindern ein Abgleiten der
20 Kämpfer. Der Kampf endet, wenn einer vom Platz geschoben wurde. Er kann aber
auch abgebrochen werden, wenn einer merkt, daß er seinem Gegner nicht
gewachsen ist. Dann legt sich der Betreffende in Demutsstellung flach vor dem
Sieger auf den Bauch, dieser hört daraufhin zu kämpfen auf und wartet in Droh-
stellung darauf, daß der Besiegte das Feld räumt.

IRENÄUS EIBL-EIBESFELDT

4. Wie durchschaut man einen Text?

Übung 9

Diese Übung soll nicht nur sicherstellen, daß wir die Kunst, einen Text zu gliedern, nun beherrschen. Sie soll auch die Fähigkeit zum konsequenten Ausdauern ein wenig fördern; die beiden zusammengehörigen Textausschnitte sind nämlich sehr lang — aber durchaus lesenswert.

Untersuchen Sie in beiden Textausschnitten die Gedankenentwicklung und fertigen Sie jeweils eine Strukturskizze an.

Was ist wichtiger?

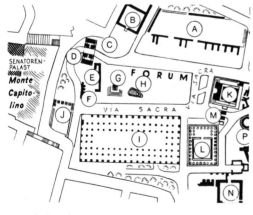

— das alte Rom

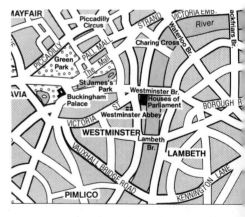

— das neue London

Textstruktur: graphische Darstellung

Wozu Latein lernen?

Ein Plädoyer für die Sprache des alten Rom

Von HERMANN STEINTHAL

Mit dem Latein gewinnt man ein fundamentales und universal nutzbares Wissen und Können. Latein als „Muttersprache" nicht nur der romanischen Sprachen,
5 sondern in weiten Teilen auch des Englischen und der modernen Wissenschaftssprachen, gewährt freieren Zugang zu den Lebens- und Weltbereichen, wo diese Sprachen nutzbringend verwendet wer-
10 den. Besonders groß sind die Chancen, wenn man Latein früh, möglichst als erste Fremdsprache lernt. Zwar kann man oft beobachten, daß die bewußtere und distanziertere Sprachhaltung, die ein Schü-
15 ler mit dem Latein erwirbt, ihn nachher beim Lernen des Englischen weniger unmittelbar und naiv mit der Sprache agieren läßt; aber dieser Nachteil ist in einiger Zeit kompensierbar und wiegt bei weitem
20 nicht den damit verbundenen Vorteil auf: Im Wortschatz und in den grammatischen Strukturen des Lateins erlebt der Schüler, daß die Welt der Muttersprache und die in ihr angelegten Denk- und Ausdrucks-
25 schemata nicht identisch sind mit Welt und Denken überhaupt. Es wäre naiv, die Welt „vorurteilsfrei" erfassen zu wollen. Was man erreichen kann, ist, die mit der Muttersprache vorgegebenen Vorurteile

Schlüssel zur Welt

Über den Nutzen moderner Fremdsprachen

Von HUGO STILLER

Die Kenntnis einer großen Landessprache enthebt uns der Provinzialität unseres eigenen Sprachraums und eröffnet die Möglichkeit zu weltweiter Kommunika-
5 tion. Wer Englisch beherrscht, kann sich mit einer Milliarde Menschen in ihrer Mutter-, Amts- oder Verkehrssprache unterhalten und verständigen, ob in Indien, Afrika, Australien oder USA. Franzö-
10 sisch ist der sprachliche Schlüssel zu 33 Ländern. Spanisch, die am schnellsten wachsende Sprache der westlichen Hemishäre, wird schon von über 250 Millionen Menschen gesprochen und ist sogar
15 in Teilen der USA faktisch und gesetzlich etablierte Erst- und Zweitsprache. An unseren Schulen ist diese Sprache vergleichsweise unterentwickelt. Führt man sich vor Augen, welch bescheidene Rolle
20 unsere eigene Sprache in der Welt spielt, dann bekommt die Kenntnis einer Zweitsprache die Bedeutung einer elementaren Kulturtechnik.

Als Erasmus von Rotterdam, der Huma-
25 nist und Philologe, sich zu Anfang des 16. Jahrhunderts für das Erlernen des Lateinischen und Griechischen einsetzte, konnte er das Argument ins Feld führen,

4. Wie durchschaut man einen Text?

30 als solche zu begreifen. Dabei lernt man zugleich die Welt und die Muttersprache genauer kennen.

Es geht direkt das Denken an

Ein Beispiel: Es braucht viel Zeit, viel
35 Geschick beim Lehrer und viel nachhaltige Intelligenz beim Schüler, bis er durchschaut, daß lateinische Konjunktionen, wie etwa *ut* oder *cum*, weder etwas real Gegebenes bezeichnen, noch das Ge-
40 meinte so speziell ausdrücken, wie es unserem von der Muttersprache geprägten Denken entspricht. Deshalb muß man zum Beispiel *cum* je nach Zusammenhang entweder mit „weil" oder mit „ob-
45 wohl" übersetzen, also genau gegensätzlich. Der Schüler muß trennen lernen zwischen der Realität, die hinter der Sprache steht, dem Ausdruck, wie er in der Sprache vorliegt, und dem Gemein-
50 ten, das aus diesem Ausdruck zu entnehmen ist (und das er, der Schüler, dann beim Übersetzen in deutschen Ausdrükken formulieren muß).
Im Prinzip ist das beim Erlernen jeder
55 Fremdsprache so. Nur ist die Distanz zwischen dem Deutschen und den modernen Schulsprachen relativ gering, so daß diese Umsetzungsvorgänge weitgehend unbewußt erledigt werden können oder höch-
60 stens auf wenige handliche Regeln gebracht werden müssen. Beim Latein muß wegen der weiteren Distanz mehr Aufwand an Begrifflichkeit getrieben werden,

das gesamte Wissen seiner Zeit sei in die-
30 sen Sprachen gespeichert. Das gilt heute *mutatis mutandis* für das Englische als internationale Sprache der Medien, der Wissenschaften und des wissenschaftlichen Fortschritts. Kein wissenschaftlicher
35 Beitrag von Rang, der nicht englisch publiziert würde. Selbst in deutschen Fachzeitschriften werden oft Beiträge wenn nicht englisch geschrieben, so doch zumindest mit einem englischen *abstract* *)
40 versehen. Informiertheit auf internationaler Ebene ist von einer gewissen Stufe an ohne Englischkenntnisse nicht denkbar.

Unsere stark auf den Handel mit anderen Ländern angewiesene Wirtschaft sucht
45 stets nach Mitarbeitern mit Fremdsprachenkenntnissen auf verschiedenen Plateaus und findet sie nicht in genügender Zahl. Die Schlangen vor den Anmeldestellen der Volkshochschulen sind ein In-
50 diz dafür, daß viele Menschen erst spät bemerken, wie oft Fremdsprachenkenntnisse Voraussetzung für berufliches Fortkommen in Wirtschaft und Verwaltung sind.
55 Es ist eine zu wenig bekannte Tatsache, daß das Erlernen einer Fremdsprache die Beherrschung der eigenen Muttersprache in Wortschatz, Syntax und Grammatik fördert. Jede Fremdsprache ermöglicht
60 es, die Muttersprache objektiv — von außen sozusagen — zu betrachten und sich

*) abstract: schriftliche Text-Zusammenfassung

54

Textstruktur:
graphische Darstellung

aber eben deswegen ist der in Aussicht
65 stehende Nutzen so fundamental und universal. Er geht direkt das Denken an:
Dieses zentrale Organ menschlicher Welterfassung wird geklärt und bereichert.

Nun haben wir bisher die lateinische
70 Sprache nur als Ausdrucksinstrument und
Medium des Denkens betrachtet. Auch
ihre *Inhalte* sind aber nützlich, und auch
sie sind es in fundamentaler und universaler Weise; fundamental, weil uns im La-
75 tein unsere geschichtlichen Ursprünge
tradiert sind; universal, weil wir es dabei
nicht nur mit dem Ganzen einer hochstehenden Kultur zu tun haben (das hat man
in jeder bedeutenden Literatur),
80 sondern weil uns — dies ist das Einzigartige am Latein — diese Kultur zusammen
mit ihrer über zweitausendjährigen ununterbrochenen Weiterwirkung und Weiterentwicklung vorliegt. Lateinisch haben ja
85 nicht nur die Dichter, Politiker, Historiker
und Philosphen des antiken Rom, also etwa bis zu Christi Geburt, geschrieben,
sondern ebenso die Mediziner und Juristen späterer Zeit wie Celsus oder Gaius,
90 die großen christlichen Theologen wie
Augustinus und Thomas von Aquin, die
namenlosen Vagantendichter des Mittelalters, die philosophischen und wissenschaftlichen Väter der Neuzeit wie Cu-
95 sanus, Erasmus, Cartesius, Spinoza und
viele andere. Wir fangen heute erst an,
die Fülle dieser Tradition auch für den
Lateinunterricht wieder zu nutzen. Natür-

so ihrer Funktionsweisen und ihres Bedeutungspotentials besser bewußt zu werden.
65 Schon eine fremde Sprache zu verstehen
bedeutet eine große persönliche Bereicherung. Welcher Fremdsprachenkundige
empfände nicht die Überblendung der
Originalstimmen ausländischer Schau-
70 spieler oder Interviewpartner durch die
Stimme des Dolmetschers oder Übersetzers als lästige Bevormundung und Behinderung? Das Vergnügen am Verstehen
von Hörsendungen, Filmen und Büchern
75 in der fremdsprachigen Originalfassung
entschädigt für die Mühsal beim Erlernen
der Anfangsgründe. Nicht auf schlechte
Übersetzungen literarischer Werke angewiesen zu sein, ist ein demokratisches Pri-
80 vileg, das jedem offensteht. Wo übersetzt
wird, gibt es Probleme, Kompromisse,
Verfälschungen, Mängel — mit schöner
Regelmäßigkeit wird darauf in Rezensionen von Übersetzungen ausländischer
85 Werke der Finger gelegt.

Die Freude am Original

Anläßlich seiner gelungenen Übersetzung
des „Misanthrope" von Molière äußert
Enzensberger seinen Widerwillen über
90 die „bloß hantierenden Zugriffe" bei den
meisten Bearbeitungen und Übersetzungen fremder Klassiker. Helmut Heißenbüttel kam vor kurzem in der ZEIT bei
der Besprechung des neuesten Romans
95 von Joseph Heller zu dem Schluß, das

Sprachliche Gestaltung

lich kann ein Lateinschüler das nicht alles
100 lesen. Aber wer Latein lernt, kann einiges
davon kennenlernen, und jedenfalls hat er
prinzipiell Zugang dazu, und das ist von
Nutzen für ein gegründetes Urteil über
unsere heutige Welt.

Werk „Good as Gold" sei unübersetzbar,
und belegte mit treffenden Beispielen,
daß die Schärfe, Aggressivität und Lok-
kerheit, die für den Roman so kennzeich-
100 nend seien, in der Übersetzung fehlen. —
Die Freude am fremdsprachigen Original,
die Herausforderung und Anregung
durch das fremde Idiom sind im übrigen
nicht — wie etwa die Ausübung der mei-
105 sten Sportarten — an ein bestimmtes Le-
bensalter gebunden.

Übung 10

Zum Abschluß dieser Arbeitsphase erwartet uns ein Text mit klar überschaubaren Konturen.
Wir wollen auch ihn gliedern und das Verhältnis seiner Teile zueinander graphisch sichtbar
machen.

Der plötzliche Spaziergang

*Wenn man sich am Abend endgültig entschlossen zu haben scheint, zu Hause zu
bleiben, den Hausrock angezogen hat, nach dem Nachtmahl beim beleuchteten
Tische sitzt und jene Arbeit oder jenes Spiel vorgenommen hat, nach dessen Be-
endigung man gewohnheitsgemäß schlafen geht, wenn draußen ein unfreundliches
5 Wetter ist, welches das Zuhausebleiben selbstverständlich macht, wenn man jetzt
auch schon so lange bei Tisch stillgehalten hat, daß das Weggehen allgemeines
Erstaunen hervorrufen müßte, wenn nun auch schon das Treppenhaus dunkel und
das Haustor gesperrt ist, und wenn man nun trotz alledem in einem plötzlichen
Unbehagen aufsteht, den Rock wechselt, sofort straßenmäßig angezogen erscheint,
10 weggehen zu müssen erklärt, es nach kurzem Abschied auch tut, je nach der
Schnelligkeit, mit der man die Wohnungstür zuschlägt, mehr oder weniger Ärger
zu hinterlassen glaubt, wenn man sich auf der Gasse wiederfindet, mit Gliedern,
die diese schon unerwartete Freiheit, die man ihnen verschafft hat, mit besonderer
Beweglichkeit beantworten, wenn man durch diesen einen Entschluß alle*

56

Wortwahl, Wort- und Satzformen, Klangbild

15   Entschlußfähigkeit in sich gesammelt fühlt, wenn man mit größerer als der
gewöhnlichen Bedeutung erkennt, daß man ja mehr Kraft als Bedürfnis hat, die
schnellste Veränderung leicht zu bewirken und zu ertragen, und wenn man so die
langen Gassen hinläuft, — dann ist man für diesen Abend gänzlich aus seiner
Familie ausgetreten, die ins Wesenlose abschwenkt, während man selbst, ganz fest,
20   schwarz vor Umrissenheit, hinten die Schenkel schlagend, sich zu seiner wahren
Gestalt erhebt. Verstärkt wird alles noch, wenn man zu dieser späten Abendzeit
einen Freund aufsucht, um nachzusehen, wie es ihm geht.

FRANZ KAFKA

4.3 Welche sprachliche Gestaltung liegt vor?

Nachdem wir jetzt einen Überblick über die Gedankenbewegung des Gesamttextes gewonnen haben, wollen wir uns nun den Details zuwenden und der Frage nachgehen:

Wie ist der Text im einzelnen gestaltet?

Erinnern wir uns: Zeichenkörper und Zeichenbedeutung bilden eine unlösbare sprachliche Einheit (vgl. S. 11. und 106); jede **besondere sprachliche Form** ist also Träger eines besonderen Inhalts.

Wie wichtig der **Wortgebrauch** für den Inhalt eines Textes ist, läßt sich gut an Werbetexten ablesen: Fordert man z. B. mit dem Slogan vom „Duft der großen weiten Welt" zum Kauf einer bestimmten Ware auf, so schwingt bereits durch die Wahl des positiven Worts „Duft" eine Aufwertung mit, die etwa bei einem neutralen Wort wie „Geruch" keineswegs gegeben wäre.

> Die Wahl bestimmter Wörter hat entscheidende Wirkung auf den Inhalt des Gesagten.

Welche Bedeutung die **formale Gestalt** eines Wortes oder eines Satzes hat, verdeutlicht ein anderes Beispiel: In der Aufforderung „Mach mal Pause . . ." enthält der Imperativ „mach" in seiner Kürze und Unmittelbarkeit einen eindringlichen Nachdruck, wie er etwa in der Form „Du sollst mal Pause machen . . ." nicht herzustellen wäre.

> Die Wahl bestimmter Wort- und Satzformen hat entscheidende Wirkung auf den Inhalt des Gesagten.

Welchen Beitrag das besondere **Klangbild** leistet, zeigen Werbesprüche wie z. B. „Milch macht müde Männer munter". Vergleichen wir diesen Slogan etwa mit der Formulierung „Milch regt abgespannte Männer an", so ist offenkundig:

... das Verhältnis
der Teile
① zueinander
sichtbar machen

Wortwahl, Wort- und Satzformen, Klangbild

> Die Wahl bestimmter Lautverbindungen hat entscheidende Wirkung auf den Inhalt des Gesagten.

Im folgenden untersuchen wir die besondere **Art und Weise der Formulierung** — das WIE des Textes.
Wir gehen davon aus, daß sprachliche Gestaltungsmittel nicht beliebig, sondern gezielt eingesetzt werden, daß Texte also kein zufälliges Produkt spontaner Ideen sind, sondern bewußter Komposition entspringen. (Inwieweit auch unmittelbare Einfälle bei der Textentstehung beteiligt sind, wäre allerdings einmal zu überprüfen.)

Da jeder Text eine semantische, eine syntaktische und eine phonetische Seite hat (vgl. S. 9 und 10), ist es sinnvoll, auch unsere Untersuchung nach diesen Gesichtspunkten durchzuführen:

> **Wortgebrauch**
>   (semantischer Befund)
> **Form und Anordnung der Wörter**
>   (syntaktischer Befund)
> **lautliche Gegebenheiten**
>   (phonetischer Befund)

Es reicht jedoch nicht, die sprachlichen Besonderheiten nur festzustellen, sondern wir wollen auch untersuchen, welche Aufgabe ihnen zukommt und was sich daraus für das Textverständnis ergibt.

Jeder Arbeitsschritt stellt also Fragen an den Text:

— Welche **sprachlichen Gestaltungsmittel** werden eingesetzt?
— Welche **Funktion** haben sie?
— Welche Folgen ergeben sich für den **Inhalt**?

Wie gehen wir nun vor?
Es haben sich zwei Untersuchungsmethoden bewährt:

— Wir gehen abschnittsweise nach den gefundenen Sinneinheiten vor (vgl. S. 36) und überprüfen Stück für Stück die semantischen, syntaktischen und phonetischen Gegebenheiten.
Dieses Verfahren hat den Vorteil, daß wir zu sorgfältigem, schrittweisem Arbeiten geführt werden und wir kaum etwas Wichtiges übersehen. Hierbei bleibt der Blick auf den einzelnen Abschnitt begrenzt, und abschnitt-übergreifende Beziehungen können erst in einem gesonderten Arbeitsschritt hergestellt werden. Dies ist von Nachteil.
— Andererseits können wir auch von vornherein den Gesamttext im Auge haben und ihn als Ganzes unter semantischen, syntaktischen und phonetischen Gesichtspunkten untersuchen. Dies könnte zu Lasten der Detailgenauigkeit gehen.

Denkbar wäre auch eine Verbindung beider Arbeitsmethoden; sie setzt jedoch eine große Sicherheit im Umgang mit Texten voraus.

Sprachliche Gestaltung: Semantischer Befund

Deshalb entschieden wir uns für eines der bewährten Verfahren: für das erste.

Für diese systematische Arbeit am Text bedienen wir uns im folgenden einer kleinen Hilfsfrage mit großer Wirkung:

Was fällt auf?

Beispiel 1:

4.3.1 Semantischer Befund

Wir richten unser Augenmerk nun auf die **Wortwahl** eines Textes als einem textprägenden Stilmittel, d. h., in unserem semantischen Blickfeld steht die Beziehung zwischen den Sprachzeichen und dem, was sie bezeichnen.

Hierbei beschränken wir uns auf zwei Grundfragen:

> 1. **Welche Wörter** werden benutzt?
> 2. **Wie** werden die **Wörter gebraucht?**

1. Welche Wörter werden benutzt?

Honkong ist die einzige Weltstadt, die einen eingebauten Zeitzünder besitzt, einen Mechanismus zur Selbstzerstörung, der auf das Jahr 1997 eingestellt ist, denn dann läuft der Pachtvertrag für die abgetretenen New Territories ab, und neun Zehntel der Kolonie fallen an China zurück. In dieser einzigartigen Hafenstadt sind Ost und West so eng miteinander verquickt wie sonst nirgends. Hier koexistieren zwei einander widersprechende Ideologien in einer aus allen Nähten platzenden Weltmetropole, in der sich Magie, Mystik und Kolorit des Fernen Ostens mit den Wundern des technischen Zeitalters verbinden. Hongkong ist die Stadt Suzie Wongs und der Überschallflugzeuge, der Sampans und der Tragflächenboote, der Wahrsager und der Geschäftemacher. Daß es Hongkong überhaupt gibt, ist ein Wunder. Die Kronkolonie nimmt eine Fläche von 1032 Quadratkilometern ein, wovon sich 80 Prozent wegen der Hügel und Berge weder als Acker- noch als Bauland eignen. Es gibt fast keine natürlichen Hilfsquellen, nicht einmal ausreichend Nahrungsmittel und Wasser. Nur zähe Beharrlichkeit konnte viereinhalb Millionen Menschen ermöglichen, hier zu leben und ein Auskommen zu finden. Die größte Leistung dieser Menschen war die Verwandlung Hongkongs von einem riesigen Einkaufszentrum — dem vermutlich größten der Welt, das haupsächlich Waren fremder Herkunft umsetzte — in eine gutgehende Produktionsstätte.

ROBERT ELEGANT

Wortwahl:
Wortart, Wortinhalt

Bei der Lektüre dieses Textausschnitts fällt auf, daß eine bestimmte **Wortart** dominiert: das Substantiv.

Solche Feststellung ist zunächst eine statistische Zahlenangabe: Von 194 Wörtern sind 60 Wörter — fast ein Drittel — Substantive. Da Substantive in unserer Sprache konkrete und abstrakte Gegenstände benennen, ergibt sich aus ihrer Häufung, daß das inhaltliche Schwergewicht dieses Textes auf der Darstellung der Welt liegt. Da es sich um einen Ausschnitt aus einer Ortsbeschreibung der Stadt Hongkong handelt, wird diese Folgerung auch aus dem Kontext bestätigt.

Die Frage, ob bestimmte grammatisch festgelegte Wortarten bevorzugt gebraucht werden, ist also nützlich beim Entschlüsseln eines Textes.

Beispiel 2:

Was ist und zu welchem Zweck betreibt man Physiologie?

Dieses Buch handelt vom menschlichen Körper als biologischer Maschine. Ein großartiges, kaum faßbares und trotz vieler faszinierender Entdeckungen noch immer in vielem rätselhaftes Wunderwerk, aber zugleich ein den Spielregeln der Natur unterworfener Apparat, dessen erstaunliche Leistungsfähigkeit, samt deren Grenzen, wir erst dann angemessen würdigen können, wenn uns die naturwissenschaftlichen Grundlagen des Wirkens seiner Teile und des Zusammenspiels des Ganzen voll erschlossen sind. Bis dahin müssen wir weiter intensiv die Arbeitsweise der „Menschmaschine" studieren. Diese Beschäftigung bezeichnet man als Physiologie.

Robert F. Schmidt

Bei diesem Textbeispiel rückt eine andere Wortart in den Vordergrund: das Adjektiv, dem die Funktion zukommt, Eigenschaften einer Sache zu kennzeichnen.

Stellen wir alle vorkommenden Adjektive nebeneinander (menschlich — biologisch — großartig — [kaum] faßbar — faszinierend — rätselhaft — unterworfen — naturwissenschaftlich), so spiegelt bereits der **Wortinhalt** dieser Übersicht wider, daß der Text sowohl objektive Darstellung als auch subjektive Urteile enthält.

Die Frage, ob sachliche oder wertende Wörter benutzt werden, liefert also ebenfalls Anhaltspunkte für das Textverständnis.

Sprachliche Gestaltung: Semantischer Befund

Übung 11

Im folgenden Textbeispiel fällt ein Schlüsselwort auf, dessen Wiederholung und Abwandlung ihm die Funktion eines **Leitbegriffs** geben. Er ist die innere Mitte, auf die sich der Gedankengang in diesem Abschnitt konzentriert.

Unterstreichen Sie den Begriff und gewöhnen Sie sich an, in jedem Text nach solchen Leitbegriffen Ausschau zu halten. (Allerdings kommen sie nicht in jedem Text vor.)

Auflösung der überlieferten Werte

Früher waren die Religionen verbunden mit der Gesamtheit der sozialen Zustände. Von ihnen wurde die Religion getragen, und diese rechtfertigte sie wiederum ihrerseits. Die Lebensführung jedes Tages war eingebettet in die Religion. Diese war selbstverständlich allgegenwärtige Lebensluft. Heute ist die Religion eine Sache der Wahl. Sie wird festgehalten innerhalb einer Welt, die von ihr nicht mehr durchdrungen ist. Nicht nur, daß die verschiedenen Religionen und Konfessionen nebeneinander stehen und durch diese bloße Tatsache sich in Frage stellen; vielmehr ist die Religion selber ein aus dem anderen ausgespartes besonderes Lebensgebiet geworden. Die überlieferten Religionen wurden für immer mehr Menschen unglaubwürdig: fast alle Dogmen und die Offenbarung in ihrem ausschließlichen Anspruch auf absolute Wahrheit. Das faktisch unchristliche Leben auch der meisten Christen ist ein unüberhörbarer Einwand. Ein christliches Leben in seiner Sichtbarkeit und fraglosen Wahrheit ist heute in bezwingender Vorbildlichkeit vielleicht noch wirklich, aber nicht mehr für die Massen da.

KARL JASPERS

Diese Übung war zu leicht? Dann blättern Sie auf Seite 42/3 zurück, und überlegen Sie, welche beiden verwandten Leitbegriffe hier durch den Text „leiten".

Bisher haben wir drei Aspekte der Wortwahl betrachtet:

    — Wortart
    — Wortinhalt
    — Leitbegriff.

Diese Untersuchung ließe sich unter weiteren Gesichtspunkten noch fortsetzen, z. B.

— **Sprachneuschöpfungen**
— **Stilebene** (Alltagssprache oder abweichende Ausdrucksweise).

Jedoch wollen wir Texte nicht zer-denken. Daher beenden wir diesen Arbeitsschritt.

Wortwahl: Leitbegriff Wortgebrauch

2. Wie werden die Wörter gebraucht?

Beispiel 1:

Von der Höflichkeit

Sie ist eine stillschweigende Übereinkunft, gegenseitig die moralisch und intellektuell elende Beschaffenheit voneinander zu ignorieren und sie sich nicht vorzurücken; — wodurch diese, zu beiderseitigem Vorteil, etwas weniger leicht zu Tage kommt.

Höflichkeit ist Klugheit; folglich ist Unhöflichkeit Dummheit: sich mittelst ihrer unnötiger- und mutwilligerweise Feinde machen ist Raserei, wie wenn man sein Haus in Brand steckt . . .

Eine schwere Aufgabe ist freilich die Höflichkeit insofern, als sie verlangt, daß wir allen Leuten die größte Achtung bezeugen, während die allermeisten keine verdienen; sodann, daß wir den lebhaftesten Anteil an ihnen simulieren, während wir froh sein müssen, keinen an ihnen zu haben. — Höflichkeit mit Stolz zu vereinigen ist ein Meisterstück. —

ARTHUR SCHOPENHAUER

Die Stachelschweine

Eine Gesellschaft Stachelschweine drängte sich an einem kalten Wintertag recht nahe zusammen, um, durch die gegenseitige Wärme, sich vor dem Erfrieren zu schützen. Jedoch bald empfanden sie die gegenseitigen Stacheln; welches sie dann wieder von einander entfernte. Wann nun das Bedürfnis der Erwärmung sie wieder
5 *näher zusammen brachte, wiederholte sich jenes zweite Übel, so daß sie zwischen beiden Leiden hin und her geworfen wurden, bis sie eine mäßige Entfernung von einander herausgefunden hatten, in der sie es am besten aushalten konnten.*
So treibt das Bedürfnis der Gesellschaft, aus der Leere und Monotonie des eigenen Innern entsprungen, die Menschen zueinander; aber ihre vielen widerwärtigen
10 *Eigenschaften und unerträglichen Fehler stoßen sie wieder voneinander ab. Die mittlere Entfernung, die sich endlich herausfinden, und bei welcher ein Beisammensein bestehen kann, ist die Höflichkeit und feine Sitte.*

ARTHUR SCHOPENHAUER

Sprachliche Gestaltung: Semantischer Befund

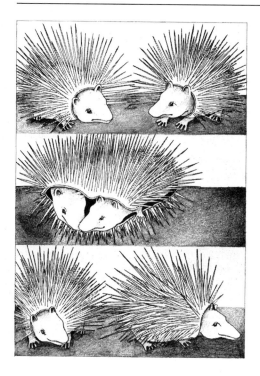

Thema und Variation. Woran liegt das? Unterschiedliche Gestaltung verursacht unterschiedliche Wirkung: Der erste Text setzt alle Wörter **wörtlich** ein. Der zweite verwendet die meisten **in übertragener Bedeutung;** dies merkt man bald, Gewißheit bekommmt man allerdings erst in Zeile 9, in der sich die „Stachelschweine" als Bild für den Menschen entpuppen.

Bildhafte Ausdrucksweise — was wird dadurch erreicht? Bilder regen die Vorstellungskraft an, machen das Gemeinte anschaulich, so daß man es mit dem geistigen Auge „sehen" kann.

Solcher nicht wörtlich gemeinte Sprachgebrauch wird auch „uneigentliche Redeweise" genannt. Da sie die Wortwahl betrifft, bezeichnet man sie in der Rhetorik, der Redekunst, auch als „Wortfiguren".
Es gibt zahlreiche Stilmittel dieser Art, z. B.

— **Metapher** (griech. „Übertragung")
Ein Vergleich wird ohne Vergleichswort „wie" benutzt.
Beispiel:
— „König der Tiere" (statt: Das Tier hat eine Stellung unter den anderen *wie* ein König.)
— „Redefluß" (statt: Die Rede hat eine Eigenbewegung *wie* ein Fluß.)

— **Personifikation** (lat. „Person-Machung")
Leblose Dinge werden ohne das Vergleichswort „als ob" wie Lebewesen behandelt.
Beispiel:
— „lachender Himmel" (statt: Der Himmel wirkt so, *als ob* er lache.)
— „flüsternde Blätter" (statt: Die Blätter verursachen Geräusche, *als ob* sie flüsterten.)

— **Synästhesie** (griech. „Zusammen-Empfindung")
Die Intensität eines Sinneseindrucks (z. B. durch das Auge) wird durch einen verkürzten Vergleich mit einem anderen Eindruck (z. B. durch das Ohr) ausgedrückt.

Wortgebrauch: wörtlich, übertragen

Beispiel:
„knallrot" (statt: Das Rot ist so intensiv *wie* ein Knall.)
— „warme Farben" (statt: Die Farben üben eine so wohltuende Wirkung aus *wie* Wärme.)

Wir sehen: Die drei genannten Gestaltungsmittel bedienen sich zur Veranschaulichung eines Gedankens eines **indirekten Vergleichs.**

Metapher   Personifikation   Synästhesie

— **Symbol** (griech. „Erkennungszeichen")
Ein Gegenstand oder ein Geschehen wird als Sinnbild für etwas anderes genannt.
Beispiel:
— „Taube" (statt: Frieden)
— „Kreuz" (statt: christliche Religion)

— **Metonymie** (griech. „Namensvertauschung")
Ein Wort wird durch ein anderes ersetzt, das in engem Zusammenhang mit ihm steht.
Beispiel:
— „Goethe lesen" (statt: ein Werk von Goethe lesen)
— „Deutschland ist Weltmeister." (statt: Deutsche Sportler sind Weltmeister.)

— **Synekdoche** (Betonung auf dem letzten e)
(griech. „Mitverstehen")
Statt des Gesamtbegriffs wird ein Teilbegriff verwendet.

Beispiel:
— „Einkommen pro Kopf" (statt: Einkommen pro Person)
— „Schwelle" (statt: Haus)

Wir sehen: Diese drei Gestaltungsmittel veranschaulichen einen Gedanken durch einen **sprachlichen Stellvertreter.**

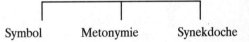

Symbol   Metonymie   Synekdoche

Wir sehen auch:
Werden Wörter nicht im reinen Wortsinn gebraucht, so reicht zum Verstehen die Kenntnis ihrer lexikalischen Bedeutung nicht mehr aus, sondern wir müssen hinter die „Wortmaske" schauen und die gemeinte Bedeutung enthüllen.
Dies ist reizvoll und gefährlich zugleich; denn die uneigentliche Redeweise ist nicht eindeutig. Der Reiz des deutenden Verstehens liegt in der aktiven Eigenleistung beim Lesen. Damit wir jedoch nichts „hineinlesen", müssen wir die Ergebnisse ständig am Text überprüfen.

Achtung:

> Es darf nur dasjenige *aus* dem Text herausgelesen werden, was — direkt oder indirekt — *im* Text steht.

Sprachliche Gestaltung: Semantischer Befund

Übung 12

Das Verstehen bei wörtlichem Sprachgebrauch müssen wir nicht üben. Aber haben wir auch die Fähigkeit, den verborgenen Sinn bei uneigentlicher Redeweise aufzudecken? Es wird sich zeigen.

In Anlehnung an die auf Seite 59 eingeführte Fragetechnik lautet Ihre Aufgabe:

— Unterstreichen Sie die Substantive, die in übertragener Bedeutung verwendet werden, und notieren Sie am Rand, um welches Stilmittel es sich handelt.

— Überlegen Sie, welche Funktion diesem Stilmittel hier zukommt.

— Führen Sie schriftlich aus, welche eigentliche Bedeutung hinter dieser uneigentlichen Sprachwahl sichtbar wird.

Unbestreitbar macht die Bundesrepublik eine Krise durch. Aber es ist eine Anpassungskrise, keine Staatskrise.
Anlaß zur Dramatisierung besteht auch aus einem anderen Grunde nicht. Wir haben es im Ernst nicht mit einer Systemkrise zu tun. Wohl durchschreiten wir in der Gegenwart, so scheint es, eine Bruchzone, in der manche herkömmliche Weisheit, manche als unumstößlich geltende Gewißheit ins Rutschen gerät. In der Parteienlandschaft der Bundesrepublik sind die Verwerfungslinien derzeit besonders deutlich. Aber auch dabei geht es um einen schwierigen Anpassungsprozeß, nicht um eine Endzeitkrise.

THEO SOMMER

(Text ist gekürzt)

Beispiel 2:

Ratschläge für einen schlechten Redner

Fang nie mit dem Anfang an, sondern immer drei Meilen vor dem Anfang! Etwa so: „Meine Damen und meine Herren! Bevor ich zum Thema des heutigen Abends komme, lassen Sie mich Ihnen kurz . . ."
Hier hast du schon so ziemlich alles, was einen schönen Anfang ausmacht: eine steife Anrede; der Anfang vor dem Anfang; die Ankündigung, daß und was du zu sprechen beabsichtigst, und das Wörtchen kurz. So gewinnst du im Nu die Herzen und die Ohren der Zuhörer.

Wortgebrauch:
übertragen, ironisch

Denn das hat der Zuhörer gern: daß er deine Rede wie ein schweres Schulpensum auf-
bekommt; daß du mit dem drohst, was du sagen wirst, sagst und schon gesagt hast. Im-
mer schön umständlich.

Sprich nicht frei — das macht einen so unruhigen Eindruck. Am besten ist es: du liest
deine Rede ab. Das ist sicher, zuverlässig, auch freut es jedermann, wenn der lesende
Redner nach jedem viertel Satz mißtrauisch hochblickt, ob auch noch alle da sind.
Sprich, wie du schreibst. Und ich weiß, wie du schreibst.

Sprich mit langen, langen Sätzen — solchen, bei denen du, der du dich zu Hause, wo
du ja die Ruhe, deren du so sehr benötigst, deiner Kinder ungeachtet, hast, vorberei-
test, genau weißt, wie das Ende ist, die Nebensätze schön ineinandergeschachtelt, so
daß der Hörer, ungeduldig auf seinem Sitz hin und her träumend, sich in einem Kolleg
wähnend, in dem er früher so gern geschlummert hat, auf das Ende solcher Periode
wartet . . . nun, ich habe dir eben ein Beispiel gegeben. So mußt du sprechen.

Fang immer bei den alten Römern an und gib stets, wovon du auch sprichst, die ge-
schichtlichen Hintergründe der Sache. Das ist nicht nur deutsch — das tun alle Brillen-
menschen. Ich habe einmal in der Sorbonne einen chinesischen Studenten sprechen
hören, der sprach glatt und gut französisch, aber er begann zu allgemeiner Freude so:
„Lassen Sie mich Ihnen in aller Kürze die Entwicklungsgeschichte meiner chinesi-
schen Heimat seit dem Jahre 2000 vor Christi Geburt . . .“ Er blickte ganz erstaunt
auf, weil die Leute so lachten.

Kümmere dich nicht darum, ob die Wellen, die von dir ins Publikum laufen, auch zu-
rückkommen — das sind Kinkerlitzchen. Sprich unbekümmert um die Wirkung, um
die Leute, um die Luft im Saale; immer sprich, mein Guter. Gott wird es dir lohnen.

Du mußt alles in die Nebensätze legen. Sag nie: „Die Steuern sind zu hoch.“ Das ist zu
einfach. Sag: Ich möchte zu dem, was ich soeben gesagt habe, noch kurz bemerken,
daß mir die Steuern bei weitem . . .“ So heißt das.

Trink den Leuten ab und zu ein Glas Wasser vor — man sieht das gern.

Wenn du einen Witz machst, lach vorher, damit man weiß, wo die Pointe ist.

Kündige den Schluß deiner Rede lange vorher an, damit die Hörer vor Freude nicht ei-
nen Schlaganfall bekommen.

Sprich nie unter anderthalb Stunden, sonst lohnt es gar nicht erst anzufangen.

Wenn einer spricht, müssen die andern zuhören — das ist deine Gelegenheit! Mißbrau-
che sie.

KURT TUCHOLSKY

Sprachliche Gestaltung: Semantischer Befund

Ratschläge für einen guten Redner

Hauptsätze. Hauptsätze. Hauptsätze.
Klare Disposition im Kopf — möglichst wenig auf dem Papier.
Tatsachen, oder Appell an das Gefühl. Schleuder oder Harfe. Ein Redner sei kein Lexikon. Das haben die Leute zu Hause.
Der Ton einer einzelnen Sprechstimme ermüdet; sprich nie länger als vierzig Minuten.
Suche keine Effekte zu erzielen, die nicht in deinem Wesen liegen. Ein Podium ist eine unbarmherzige Sache — da steht der Mensch nackter als im Sonnenbad.
Merk Otto Brahms Spruch: Wat jestrichen is, kann nich durchfalln.

KURT TUCHOLSKY

Wie Tucholskys Rat für einen schlechten Redner zeigt, gibt es offensichtlich außer der wörtlichen und der bildhaften Ausdrucksweise noch andere Möglichkeiten des Wortgebrauchs: Man sagt <u>dem Wort nach etwas anderes, als man dem Sinn nach meint.</u>
Warum? Dies gibt Gelegenheit, etwas indirekt hervorzuheben, was beim normalen (direkten) Ausdruck leicht unbemerkt bliebe oder zu kraß ausfiele. Diese Form der uneigentlichen Redeweise zielt vor allem auf die psychologische Wirkung der Formulierung ab.
Solche Gestaltungsmittel sind z. B.

— **Ironie** (griech. „Verstellung")
Man sagt das Gegenteil von dem, was man meint.
Beispiel:
— „Das hat mir gerade noch gefehlt!" (statt: Dies kann ich jetzt gar nicht gebrauchen.)
— Tucholskys Ratschläge für einen schlechten Redner (statt: Ratschläge für einen guten Redner)

— **Litotes** (griech. „Schlichtheit")
Man verneint das Gegenteil von dem, was man meint — besondere Form der Untertreibung.
Beispiel:
— „nicht neu" (statt: alt)
— „Er war nicht gerade freundlich." (statt: Er war unfreundlich.)

— **Euphemismus** (griech. „Schön-Reden")
Man umschreibt einen negativen Sachverhalt mit beschönigenden Ausdrücken.
Beispiel:
— „Null-Wachstum" (statt: Stillstand)
— „vollschlank" (statt: dick)

Solche Stilmittel decken auf, indem sie **verhüllen,** bzw. sie verhüllen etwas, um es aufzudecken.
Ironie   Litotes   Euphemismus
Das bedeutet für den Leser, daß er wachsam sein muß, um nicht „reinzufallen". Er muß „hinter die Kulissen" schauen.
Probieren wir es:

Wortgebrauch: übertragen, ironisch

Übung 13

Bei folgendem Text handelt es sich um den Anfang des Schauspiels „Zeit der Schuldlosen" von Siegfried Lenz.

— Unterstreichen Sie diejenigen Stellen, an denen der Major etwas anderes sagt, als er meint, und notieren Sie den Fachausdruck für das Stilmittel am Rand.

— Überlegen Sie, welche Aufgabe der Einsatz dieses Gestaltungsmittels hier hat.

— Führen Sie schriftlich aus, welche Information der Zuschauer bzw. Leser hierdurch über den Major erhält.

Ein kahler, vergitterter Raum, der den Eindruck einer Behelfszelle macht. Unentschiedenes Licht. Neun Männer stehen zusammen, gewissermaßen ein repräsentativer Querschnitt der Bevölkerung — was sich u. a. auch an der Kleidung erkennen läßt. Die Männer führen ein leises ungeduldiges Gespräch. Sie erscheinen wie Leute, die man gerade verhaftet hat. Vor dem primitiv vergitterten Raum, eine Lederpeitsche im Arm, steht ein schäbig uniformierter Wächter. Alles, was sein Gesicht verrät, ist Interesselosigkeit. Er blickt zu Boden. Schräg hinter ihm führt eine knapp geschwungene Eisentreppe nach oben.
Der Hotelier löst sich aus der Gruppe, lauscht plötzlich und sagt:
HOTELIER: Still! Es kommt jemand den Gang hinab.
INGENIEUR: Es wird Zeit. Ich habe nichts getrunken seit heute morgen.
Der Bankmann tritt an das primitive Gitter und wendet sich an den Wächter.
BANKMANN: Wächter! Wächter!
Der Wächter hebt müde den Kopf
WÄCHTER: Ja, Herr?
BANKMANN: Ich muß telefonieren. Niemand weiß, wo ich bin. Meine Frau muß Bescheid wissen und die Bank. Sie müssen es erfahren.
WÄCHTER: Ich sehe es ein, Herr.
KONSUL: Sein Fehler ist, daß er alles einsieht, aber nichts unternehmen kann — wie der Kummerkasten vor unserer alten Kirche: die Leute schreiben immer noch ihre Sorgen auf Zettel und werfen sie in den Schlitz, aber es gibt niemanden mehr, der den Kasten leert.
HOTELIER: Die Schritte kommen näher.
Alle treten an das Gitter heran, stehen im Licht einer nackten elektrischen Birne, blicken erwartungsvoll auf die Eisentreppe.
BANKMANN: Wir müssen darauf bestehen, daß man unsere Angehörigen informiert. Sie müssen wissen, wo wir sind und was uns zugestoßen ist: das ist das wichtigste.
INGENIEUR: Noch wichtiger ist, daß wir etwas zu trinken bekommen.
BAUER: Es muß ein Irrtum sein.
KONSUL: Heute gibt es keine Irrtümer mehr, zumindest ist die Regierung dieser Ansicht, wenn sie über die Schuld des Menschen befindet: heute gibt jeder einen prächtigen Schuldigen ab.

Sprachliche Gestaltung:
Semantischer Befund

HOTELIER: Sparen Sie sich Ihren Zynismus, Konsul. Wir alle hier sind unschuldig, das wissen Sie genau. Man hat es uns sogar zugesichert.

KONSUL: Aber nur mündlich. Ich wäre froh, wenn es auch in meinen Papieren stünde, vielleicht als Berufsangabe — : unschuldig.

35 LASTWAGENFAHRER: Ich habe einen vollen Laster draußen stehen. Sie warten im Hafen auf die Ladung.

BANKMANN: Still, jetzt kommt jemand.

Die Schritte zweier Männer sind deutlich zu hören, dann wird eine Tür aufgestoßen, und auf der Treppe erscheinen: Sason, ein junger, blasser, magerer Mann, der die Spuren der Folter an sich

40 *trägt; hinter ihm der Major, ein Offizier von eleganter Brutalität. Beide kommen die Treppe herab, der Wächter nimmt Haltung an. Sason bleibt stehen. Bevor der Major sich an die Eingeschlossenen wendet, sagt der Hotelier:*

HOTELIER: Ich muß protestieren, Major. Ich bin unabkömmlich in meinem Hotel. Sie können mich hier nicht festhalten. Der Gouverneur war oft mein Gast.

45 MAJOR: Ich weiß, doch jetzt sind Sie sein Gast.

BANKMANN: Wir bestehen darauf, daß unsere Angehörigen informiert werden. Außerdem muß man an unseren Arbeitsplätzen Bescheid wissen. Wir sind fast einen Tag hier.

Mehrere der Eingeschlossenen rufen rasch hintereinander.

BAUER: Es ist ein Irrtum.

50 HOTELIER: Ich protestiere!

INGENIEUR: Wann gibt es etwas zu trinken!?

BANKMANN: Wir sind unschuldig!

Der Major lächelt gelassen — tritt an das Gitter heran, seine Figur strafft sich, er sagt in einem Tonfall von Verbindlichkeit:

55 MAJOR: Meine Herren: niemand ist von Ihrer Unschuld mehr überzeugt als wir selbst. Wir wissen auch, daß wir Mühe hätten, in dieser Stadt Bürger zu finden, die so frei von Makel sind wie Sie. Doch das ist gerade der Grund, warum wir Sie hier zusammengebracht haben. Wir hätten niemanden ausgesucht, von dem wir gewußt hätten, daß er sich je etwas hat zuschulden kommen lassen. Auch wenn es Sie in Erstaunen setzen wird: diesen Zwangsaufenthalt verdan-

60 ken Sie nur Ihrer vollkommenen Schuldlosigkeit. Es ist eine Idee des Gouverneurs.

Unter den Eingeschlossenen tritt eine begreifliche Ratlosigkeit und Unruhe ein. Sie schieben sich näher heran.

BANKMANN: Niemand weiß, wo wir uns befinden.

MAJOR: Sie haben es in der Hand, diesen Zustand zu beenden. Der Gouverneur hat eine

65 Bitte an Sie.

HOTELIER: Warum läßt er uns dann in den Kerker bringen?

Der Konsul ist der einzige, der sich nicht ganz nach vorn geschoben hat.

KONSUL: So fällt ihm die Bitte leichter. Es ist eine kleine Vorsichtsmaßnahme, vermute ich: Der Gouverneur könnte es sich nicht erlauben, erfolglos zu bitten. Er müßte zuviel riskieren.

70 *Der Major blickt den Konsul zurechtweisend an.*

MAJOR: Schweigen Sie! Der Gouverneur hat das Recht, die Bürger gelegentlich mit einer

70

Wortgebrauch:
ironisch

Bitte anzugehen, und zwar jeden, der den Schutz und die vielfältigen Vorzüge des Staates genießt. Worum er Sie bittet, ist lediglich eine Gefälligkeit, die nur verweigern wird, wer den stillschweigenden Pakt übersieht, den jeder von uns mit der Regierung schließt. An diesen Pakt gegenseitiger Dienstleistung möchte der Gouverneur Sie erinnern — Sie, meine Herren, von deren absoluter Schuldlosigkeit er am tiefsten überzeugt ist.

Siegfried Lenz

— Haben Sie gemerkt, daß auch eine andere
    Person dieses Stilmittel — wie eine Art
    „Gegenmittel" — einmal einsetzt?

Es geht auch anders: Schmunzeln erlaubt.

„Papa, unser Lehrer hat mir heute zu verstehen gegeben, daß er nicht ausschließen will, daß ich das Klassenziel unter den derzeit gegebenen Umständen möglicherweise nicht voll erreichen könnte. Er hat dabei angedeutet, daß dieses besonders im fremdsprachlichen Bereich auch durch einen Mangel an gezielten Maßnahmen meinerseits verstärkt worden sei. Außerdem hat er durchblicken lassen, auch andere Lehrer hätten ihm signalisiert, meine verbale Beteiligung sei noch außerordentlich ausbaufähig."
Der einigermaßen erschütterte Vater verlor schnell die sonst übliche Zurückhaltung.
„Soll das heißen, daß du sitzenbleibst, weil du in Englisch und Latein nichts getan hast und dich insgesamt zu wenig am Unterricht beteiligt hast?"
„Diese Formulierung, Papa, ist sicher überspitzt. Ich würde meinen, daß die auf uns zukommenden Probleme auch durch eine sehr undifferenzierte Analyse meiner Zurückhaltung seitens der mich unterrichtenden Lehrer zu erklären ist. Natürlich übersehe ich dabei nicht, daß mir unreflektiertes Auswendiglernen von Wörtern einer fremden Sprache, die völlig beziehungslos nebeneinanderstehen, nicht eben liegt."
„Du hast also zu wenig Vokabeln gelernt?"
„Ich bin der Auffassung, daß man mit dieser sehr pauschalen Fragestellung dem doch sehr komplizierten Problem kaum gerecht wird. Diese Ansicht wird übrigens von allen

Sprachliche Gestaltung: Syntaktischer Befund

meinen Freunden geteilt. Wir sind auch der Meinung, daß die anstehende Problematik nicht durch unglaubwürdiges Moralisieren oder gar Drohen gelöst werden kann. Dagegen versprechen wir uns eine motivationsfördernde Wirkung von finanziellen Anreizen, die natürlich nur langsam greifen würden. Wir überschätzen die bildungspolitischen Auswirkungen solcher finanziellen Stimulanzien durchaus nicht, sehen zum gegenwärtigen Zeitpunkt aber keine praktikableren Möglichkeiten."

„Du möchtest also nicht nur deine Ruhe, sondern auch noch eine Erhöhung des Taschengeldes?"

GÜNTER LIETZMANN

4.3.2 Syntaktischer Befund

Gegenstand unserer nächsten Untersuchung sind die **Sprachzeichen und deren Beziehung zueinander,** d. h. die vorkommenden **Wort- und Satzformen.**

Unter Anwendung der eingeführten Fragetechnik (vgl. S. 59) konzentrieren wir uns auf die beiden Grundfragen:

> 1. **Welche Wortformen** treten auf?
> 2. **Wie** sind die **Sätze strukturiert?**

1. Welche Wortformen treten auf?

Beispiel 1:

Im Nordwesten des Landes liegt zwischen waldigen Hügeln und kleinen stillen Seen das große Zisterzienserkloster Maulbronn. Weitläufig, fest und wohl erhalten stehen die schönen alter Bauten und wären ein verlockender Wohnsitz, denn sie sind prächtig, von innen und außen, und sind in den Jahrhunderten mit ihrer ruhig
5 *schönen, grünen Umgebung edel und innig zusammengewachsen. Wer das Kloster besuchen will, tritt durch ein malerisches, die hohe Mauer öffnendes Tor auf einen weiten und sehr stillen Platz. Ein Brunnen läuft dort, und es stehen alte ernste Bäume da und zu beiden Seiten alte steinerne und feste Häuser und im Hintergrunde die Stirnseite der Hauptkirche mit einer spätromanischen Vorhalle, Para-*
10 *dies genannt, von einer graziösen, entzückenden Schönheit ohnegleichen. Auf dem mächtigen Dach der Kirche reitet ein nadelspitzes, humoristisches Türmchen, von*

Wortformen: Modus

dem man nicht begreift, wie es eine Glocke tragen soll. Der unversehrte Kreuz-
gang, selber ein schönes Werk, enthält als Kleinod eine köstliche Brunnenkapelle;
das Herrenrefektorium mit kräftig edlem Kreuzgewölbe, weiter Oratorium, Parla-
15 *torium, Laienrefektorium, Abtwohnung und zwei Kirchen schließen sich massig*
aneinander. Malerische Mauern, Erker, Tore, Gärtchen, eine Mühle, Wohnhäuser
umkränzen behaglich und heiter die wuchtigen alten Bauwerke. Der weite Vorplatz
liegt still und leer und spielt im Schlaf mit den Schatten seiner Bäume; nur in der
Stunde nach Mittag kommt ein flüchtiges Scheinleben über ihn. Dann tritt eine
20 *Schar junger Leute aus dem Kloster, verliert sich über die weite Fläche, bringt ein*
wenig Bewegung, Rufen, Gespräch und Gelächter mit, spielt etwa auch ein Ball-
spiel und verschwindet nach Ablauf der Stunde rasch und spurlos hinter den Mau-
ern.

HERMANN HESSE

Beim ersten Lesen dieses Textausschnitts
werden wir wohl kaum bei einer bestimmten
Wortform aufhorchen. Man wird die dichterische Beschreibung eines besonders idylli-
schen Fleckchens Erde ohne Argwohn zur
Kenntnis nehmen, bis man zu Zeile 19/20
kommt. Hier wird man stutzen: „ein flüchtiges Scheinleben" — angesichts einer „Schar
junger Leute"? Sollte man den Text vielleicht
mißverstanden haben? Ist der Ort etwa gar
nicht so idyllisch, wie es scheint? Erneutes
Lesen liefert in Zeile 3 die Antwort: Die
Bauten „wären" eben nur „ein verlockender
Wohnsitz", sie sind es also tatsächlich nicht.
Der Konjunktiv des Hilfsverbs ist ein deutli-
ches Signal dafür, daß die Idylle sich als
Schein-Idylle entlarvt.
Der Blick auf Besonderheiten des <u>Verbs</u> (hier
<u>Modus</u>) hilft somit beim textgerechten Lesen.

Sprachliche Gestaltung: Syntaktischer Befund

Beispiel 2:

MEHR FREIZEIT — WENIGER PFLICHTEN

Damit **Sie** die wichtigen Dinge tun können.

Wer hätte **das** gedacht!
Das wird von uns gemacht:

IHR HUND WIRD TÄGLICH AUSGEFÜHRT

! Unser fachkundiges Personal ist
■ stets für Ihren Liebling da **!**

DOG-WALKER Anruf genügt: Telefon 196 57

Dieser Text ist als Werbetext darauf ausgerichtet, den Leser aufhorchen zu lassen, ihn anzusprechen und ihn mit etwas Neuem bekanntzumachen.

Bevor wir unseren Blick auf besondere Wortformen richten, wollen wir uns die Anzeige erst etwas näher ansehen:

WER wirbt hier?
— ein Unternehmen namens „Dog-Walker", was sich wohl mit „Hunde-Spaziergänger" übersetzen ließe. (Der fremdländische Name legt Begleit-Gedanken nahe, etwa: Es ist etwas Besonderes. Es genügt hohen Ansprüchen.)

74

Wortformen: Genus verbi (Aktiv/Passiv), Tempus

WOFÜR wird hier geworben?
— Gegenstand der Werbung ist eine Dienstleistung. Manchem Hundebesitzer ist die Verpflichtung zum täglichen Spaziergang lästig; hier soll Abhilfe geschaffen werden.

WIE wird geworben?
— Der Leser wird durch die Ausrufezeichen als optischem Signal auf die Wichtigkeit des Textes aufmerksam gemacht und durch Reizwörter wie „Freizeit" und „Pflicht" zum Lesen veranlaßt.
— Durch den Satz „. . . damit Sie die wichtigen Dinge tun können" wird dem Leser eine verlockende Gelegenheit in Aussicht gestellt: Gelegenheit zu eigenem Handeln. Hierbei wird er als jemand angesprochen, der für eigenes Tun entscheidungsfrei ist.

Dies wird im Verb durch das **Aktiv** ausgedrückt.
Bedingung für das Stück Freizeit/Freiheit ist die Leistung anderer. Der Hundebesitzer hat weniger Pflichten, weil andere sie ihm abnehmen. Es ist dabei nicht entscheidend, welcher einzelne Mensch die Pflicht abnimmt; Hauptsache ist: „Ihr

Hund wird täglich ausgeführt. Das wird von uns gemacht". Das Geschehen selbst ist wichtig, der Ausführende nicht. Sprachlich wird dies im Verb durch das **Passiv** ausgedrückt, das durch die „Täterverschweigung" das Augenmerk auf den Vollzug des Ereignisses richtet.

Obwohl bei diesem Werbetext noch manche interessante Entdeckung zu machen wäre — etwa bezüglich der Wirkung versteckter psychologischer Mittel —, brechen wir unsere Analyse hier ab.
Wie man sieht, trägt die Untersuchung des Genus verbi (Aktiv, Passiv) ebenfalls dazu bei, eine Textkomposition zu durchschauen.

Übung 14

Beim nächsten Textbeispiel soll das **Tempus** untersucht werden.
— Kennzeichnen Sie die Stelle des Tempuswechsels.
— Überlegen Sie dessen Funktion.
— Notieren Sie die Konsequenzen für den Inhalt.

Anekdote zur Senkung der Arbeitsmoral
In einem Hafen an einer westlichen Küste Europas liegt ein ärmlich gekleideter Mann in seinem Fischerboot und döst. Ein schick angezogener Tourist legt eben einen neuen Farbfilm in seinen Fotoapparat, um das idyllische Bild zu fotografieren: blauer Himmel, grüne See mit friedlichen schneeweißen Wellenkämmen, schwarzes Boot, rote Fischermütze. Klick. Noch einmal: klick, und da aller guten Dinge drei sind und sicher sicher ist, ein drittes Mal: klick. Das spröde, fast feindselige Geräusch weckt den dösenden Fischer, der sich schläfrig aufrichtet, schläfrig nach seiner Zigarettenschachtel

Sprachliche Gestaltung: Syntaktischer Befund

angelt; aber bevor er das Gesuchte gefunden hat, hat ihm der eifrige Tourist schon eine Schachtel vor die Nase gehalten, ihm die Zigarette nicht gerade in den Mund gesteckt, aber in die Hand gelegt, und ein viertes Klick, das des Feuerzeuges, schließt die eilfertige Höflichkeit ab. Durch jenes kaum meßbare, nie nachweisbare Zuviel an flinker Höflichkeit ist eine gereizte Verlegenheit entstanden, die der Tourist — der Landessprache mächtig — durch ein Gespräch zu überbrücken versucht.

„Sie werden heute einen guten Fang machen."

Kopfschütteln des Fischers.

„Aber man hat mir gesagt, daß das Wetter günstig ist."

Kopfnicken des Fischers.

„Sie werden also nicht ausfahren?"

Kopfschütteln des Fischers, steigende Nervosität des Touristen. Gewiß liegt ihm das Wohl des ärmlich gekleideten Menschen am Herzen, nagt an ihm die Trauer über die verpaßte Gelegenheit.

„Oh, Sie fühlen sich nicht wohl?"

Endlich geht der Fischer von der Zeichensprache zum wahrhaft gesprochenen Wort über. „Ich fühle mich großartig", sagt er. „Ich habe mich nie besser gefühlt." Er steht auf, reckt sich, als wolle er demonstrieren, wie athletisch er gebaut ist. „Ich fühle mich phantastisch."

Der Gesichtsausdruck des Touristen wird immer unglücklicher, er kann die Frage nicht mehr unterdrücken, die ihm sozusagen das Herz zu sprengen droht: „Aber warum fahren Sie dann nicht aus?"

Die Antwort kommt prompt und knapp. „Weil ich heute morgen schon ausgefahren bin."

„War der Fang gut?"

„Er war so gut, daß ich nicht noch einmal auszufahren brauche, ich habe vier Hummer in meinen Körben gehabt, fast zwei Dutzend Makrelen gefangen . . ."

Der Fischer, endlich erwacht, taut jetzt auf und klopft dem Touristen beruhigend auf die Schultern. Dessen besorgter Gesichtsausdruck erscheint ihm als ein Ausdruck zwar unangebrachter, doch rührender Kümmernis.

„Ich habe sogar für morgen und übermorgen genug", sagt er, um des Fremden Seele zu erleichtern. „Rauchen Sie eine von meinen?"

„Ja, danke."

Zigaretten werden in Münder gesteckt, ein fünftes Klick, der Fremde setzt sich kopf-

76

Wortformen:
Tempus

schüttelnd auf den Bootsrand, legt die Kamera aus der Hand, denn er braucht jetzt beide Hände, um seiner Rede Nachdruck zu verleihen.

„Ich will mich ja nicht in Ihre persönlichen Angelegenheiten mischen", sagt er, „aber stellen Sie sich mal vor, Sie führen heute ein zweites, ein drittes, vielleicht sogar ein viertes Mal aus und Sie würden drei, vier, fünf, vielleicht gar zehn Dutzend Makrelen fangen . . . stellen Sie sich das mal vor."

Der Fischer nickt.

„Sie würden", fährt der Tourist fort, „nicht nur heute, sondern morgen, übermorgen, ja, an jedem günstigen Tag zwei-, dreimal, vielleicht viermal ausfahren — wissen Sie, was geschehen würde?"

Der Fischer schüttelt den Kopf.

„Sie würden sich in spätestens einem Jahr einen Motor kaufen können, in zwei Jahren ein zweites Boot, in drei oder vier Jahren könnten Sie vielleicht einen kleinen Kutter haben, mit zwei Booten oder dem Kutter würden Sie natürlich viel mehr fangen — eines Tages würden Sie zwei Kutter haben, Sie würden . . .", die Begeisterung verschlägt ihm für ein paar Augenblicke die Stimme, „Sie würden ein kleines Kühlhaus bauen, vielleicht eine Räucherei, später eine Marinadenfabrik, mit einem eigenen Hubschrauber rundfliegen, die Fischschwärme ausmachen und Ihren Kuttern per Funk Anweisungen geben. Sie könnten die Lachsrechte erwerben, ein Fischrestaurant eröffnen, den Hummer ohne Zwischenhändler direkt nach Paris exportieren — und dann . . .", wieder verschlägt die Begeisterung dem Fremden die Sprache. Kopfschüttelnd, im tiefsten Herzen betrübt, seiner Urlaubsfreude schon fast verlustig, blickt er auf die friedlich hereinrollende Flut, in der die ungefangenen Fische munter springen. „Und dann", sagt er, aber wieder verschlägt ihm die Erregung die Sprache.

Der Fischer klopft ihm auf den Rücken, wie einem Kind, das sich verschluckt hat.

„Was dann?" fragt er leise.

„Dann", sagt der Fremde mit stiller Begeisterung, „dann könnten Sie beruhigt hier im Hafen sitzen, in der Sonne dösen — und auf das herrliche Meer blicken."

„Aber das tu ich ja schon jetzt", sagt der Fischer, „ich sitze beruhigt am Hafen und döse, nur Ihr Klicken hat mich dabei gestört."

Tatsächlich zog der solcherlei belehrte Tourist nachdenklich von dannen, denn früher hatte er auch einmal geglaubt, er arbeite, um eines Tages einmal nicht mehr arbeiten zu müssen, und es blieb keine Spur von Mitleid mit dem ärmlich gekleideten Fischer in ihm zurück, nur ein wenig Neid.

HEINRICH BÖLL

Sprachliche Gestaltung: Syntaktischer Befund

Daß bisher nur die Wortformen des Verbs behandelt wurden, nämlich sein

— Modus
— Genus verbi
— Tempus,

liegt daran, daß die Verbformen unserer Sprache besonders variationsreich sind und eine Aussage entscheidend prägen. Es lohnte zwar noch eine Untersuchung des **Substantivs** und dessen

— **Numerus**;

wir wollen uns jedoch nicht von einem Übermaß an Fragezeichen erschlagen lassen und wenden uns daher jetzt dem nächsten Arbeitsschritt zu.

2. *Wie sind die Sätze strukturiert?*

Beispiel 1:

DAS hätte ich nicht von dir gedacht!

VON DIR hätte ich das nicht gedacht!

ICH hätte das nicht von dir gedacht!

Dreimal dasselbe — und doch nicht dasselbe. An diesem Beispiel läßt sich ablesen, wie der Sinn eines Satzes durch seine **Struktur** festgelegt wird (hier durch Umstellung der Wörter: die *Inversion*).

Diese Gestaltungsmöglichkeit, nämlich durch gezielte **Wortanordnung** eine bestimmte Wirkung zu erreichen, wird vielfältig genutzt. Beispiele solcher „Satzfiguren" sind:

WORTVERBINDUNG:

— **Polysyndeton** (griech. „Viel-Verbundenheit")
Gleichgeordnete Satzglieder werden durch Konjunktion verbunden.
Beispiel:
— „Einigkeit und Recht und Freiheit . . ."
(Solche Sprachform schafft eine enge

78

Satzformen: Wortanordnung, Satzart, Satzverknüpfung

Verbindung zwischen den einzelnen Begriffen.)
— „Er redet und redet und redet."
(Die wiederholte Wortverbindung betont die Dauer und Eintönigkeit des Sprechens.)

— **Asyndeton** (griech. „Un-Verbundenheit")
Gleichgeordnete Satzglieder stehen ohne Konjunktion nebeneinander.
Beispiel:
— „Das Schiff geht in Neapel, Genua, Barcelona, Lissabon vor Anker."
(Die Unverbundenheit hebt die einzelnen Orte stärker hervor.)
— „Da — er reagiert blitzschnell, spurtet, sucht sich eine Lücke, trifft das Leder und — Tor!"
(Die Unverbundenheit der Satzglieder stellt ein drängendes Tempo des Geschehens her.)

WORTFOLGE:

— **Klimax** (griech. „Leiter", Steigerung)
Mehrere Ausdrücke werden in steigernder Anordnung verwendet.
Beispiel:
— „Ich kam, ich sah, ich siegte." („Veni, vidi, vici", wie bekanntlich Cäsar nach dem schnellen Sieg bei Zela nach Rom gemeldet haben soll.)
(Solche Ausdruckssteigerung ermöglicht eindringliche Betonung.)
— „Was war das? — Irgendwo knisterte es, dann war mir, als ob etwas knarrte, und plötzlich polterte es laut." (Die stei-

gernde Anordnung der Ausdrücke bewirkt eine Spannungssteigerung.)

— **Ellipse** (griech. „Auslassung")
Einzelne (grammatisch notwendige) Wörter werden ausgespart.
Beispiel:
— „(Das) Ende (ist) gut, (also ist) alles gut."
(Das Fortlassen von Unwichtigem pointiert das Wichtige.)
— „Herr Minister, die Staatsfinanzen sind . . ., aber wem sage ich das."
(Das Aussparen des Wichtigen weist auf das Ungesagte hin.)

Übung 15

Organisation

Herr K. sagte einmal: „Der Denkende benützt kein Licht zuviel, kein Stück Brot zuviel, keinen Gedanken zuviel."

BERTOLT BRECHT

Sie erkennen sicher sofort, daß dieser kleine Text asyndetisch gebaut ist und welche Wirkung sich hieraus einstellt.
Aber:
Fällt Ihnen noch eine weitere syntaktische Besonderheit auf, die bisher noch nicht erwähnt wurde?

— Geben Sie dem neu gefundenen sprachlichen Gestaltungsmittel einen selbstgewählten Namen.

— Überlegen Sie, welche Funktion es hat?

79

Sprachliche Gestaltung: Syntaktischer Befund

— Notieren Sie, welche inhaltlichen Konsequenzen sich daraus ergeben.

Beispiel 2:

Lesen macht Spaß.

Lesen macht Spaß?

Lesen macht Spaß!

Diese Beispielsätze bedürfen wohl keiner Erklärung. Was sie verdeutlichen, verdient allerdings Beachtung.
Jede **Satzart** ist Spiegel einer Grundhaltung, die man beim Lesen bewußt wahrnehmen

sollte: die Sicherheit eines Aussagesatzes, die Offenheit eines Fragesatzes, das Engagement eines Ausrufesatzes und die Willensäußerung eines Aufforderungssatzes.
Wir merken zunehmend:

> Jeder Gedanke hat seine ihm eigene sprachliche Form, d. h. umgekehrt: Jede sprachliche Form offenbart etwas über den Gedanken.

Übung 16

Diese Übung soll auf das syntaktische Gestaltungsmittel der **Satzverknüpfung** aufmerksam machen.

Kauft Äpfel! Äpfel sind gesund. N' Kilo kostet nur 1 Mark 80. und das gibt's nicht alle Tage.

Da Äpfel gesund sind, empfehle ich euch, heute zuzugreifen. Daß n'Kilo nur 1 Mark 80 kostet, gibt's nicht alle Tage.

Sprachliche Gestaltung: Phonetischer Befund

— Nun? Welche beiden grundsätzlichen Arten der Satzverknüpfung gibt es denn?
— Welchen Beitrag leisten sie (allgemein) jeweils für den Inhalt eines Gedankens?
— Welche Art der Satzverknüpfung halten Sie im Bild-Beispiel für situations-angemessen? Begründen Sie Ihre Ansicht.

4.3.3 Phonetischer Befund

Wir beschäftigen uns nun mit denjenigen Textgegebenheiten, die beim Lesen das „innere Ohr" ansprechen: mit der **Lautgestalt**, die sich in Ton und Bewegung äußert. Im Unterschied zur semantischen und syntaktischen Sprachgestalt, deren Aufgabe es ist, eine Aussage zu ermöglichen, hat sie mehr unterstützende Funktion, vor allem in literarischen Texten.

Wir nähern uns diesem Bereich anhand der beiden Grundfragen:

> 1. **Welchen Beitrag** leistet das **Klangbild**?
> 2. **Wie** werden **Akzente gesetzt**?

1. Welchen Beitrag leistet das Klangbild?

Beispiel 1:

> *Eine wunderbare Heiterkeit hat meine ganze Seele eingenommen, gleich den süßen Frühlingsmorgen, die ich mit ganzem Herzen genieße. Ich bin allein und freue mich meines Lebens in dieser Gegend, die für solche Seelen geschaffen ist wie die meine. Ich bin so glücklich, mein Bester, so ganz in dem Gefühle von ruhigem Da-*
> 5 *sein versunken, daß meine Kunst darunter leidet. Ich könnte jetzt nicht zeichnen, nicht einen Strich, und bin nie ein größerer Maler gewesen als in diesen Augenblicken. Wenn das liebe Tal um mich dampft und die hohe Sonne an der Oberfläche der undurchdringlichen Finsternis meines Waldes ruht und nur einzelne Strahlen sich in das innere Heiligtum stehlen, ich dann im hohen Grase am fallenden Ba-*
> 10 *che liege und näher an der Erde tausend mannigfaltige Gräschen mir merkwürdig werden; wenn ich das Wimmeln der kleinen Welt zwischen Halmen, die unzähligen unergründlichen Gestalten der Würmchen, der Mückchen näher an meinem Herzen fühle und fühle die Gegenwart des Allmächtigen, der uns nach seinem Bilde schuf, das Wehen des Allliebenden, der uns in ewiger Wonne schwebend trägt*

Sprachliche Gestaltung: Phonetischer Befund

2. Wie werden Akzente gesetzt?

Beispiel 1:

Rom: Springquell (1860)

Es steigt der Quelle reicher Strahl
Und sinkt in eine schlanke Schal'.
Das dunkle Wasser überfließt
Und sich in eine Muschel gießt.
Es überströmt die Muschel dann
Und füllt ein Marmorbecken an.
Ein jedes nimmt und gibt zugleich
Und allesammen bleiben reich,
Und ob's auf allen Stufen quillt,
So bleibt die Ruhe doch im Bild.

Der schöne Brunnen (1864)

In einem römischen Garten
Weiß ich einen schönen Bronnen,
Von Laubwerk aller Arten
Umwölbt und grün umsponnen.
Er steigt in lichtem Strahle,
Der unerschöpflich ist,
Und plätschert in eine Schale,
Die golden wallend überfließt.

Das Wasser flutet nieder
In zweiter Schale Mitte,
Und voll ist diese wieder,
Es flutet in die dritte:
Ein Geben und ein Nehmen
Und alle bleiben reich.
Und alle Stufen strömen
Und scheinen unbewegt zugleich.

86

Der Brunnen (1865)

In einem römischen Garten
Verborgen ist ein Bronne,
Behütet von dem harten
Geleucht' der Mittagssonne,
Er steigt in schlankem Strahle
In dunkle Laubesnacht
Und sinkt in eine Schale
Und übergießt sie sacht.

Die Wasser steigen nieder
In zweiter Schale Mitte
Und voll ist diese wieder,
Sie fluten in die dritte:
Ein Nehmen und ein Geben,
Und alle bleiben reich,
Und alle Fluten leben
Und ruhen doch zugleich.

Der Brunnen (1869)

Der Springquell plätschert und erfüllt
Die Schale, daß sie überfließt;
Die steht vom Wasser leicht umhüllt,
Indem sie's in die zweite gießt;
Und diese wallt und wird zu reich
Und gibt der dritten ihre Flut,
Und jede gibt und nimmt zugleich,
Und alles strömt und alles ruht.

Akzente:
Rhythmus, Takt, Pause

Der römische Brunnen (1882)

Aufsteigt der Strahl und fallend gießt
Er voll der Marmorschale Rund.
Die, sich verschleiernd, überfließt
In einer zweiten Schale Grund;
Die zweite gibt, sie wird zu reich,
Der dritten wallend ihre Flut,
Und jede nimmt und gibt zugleich
Und strömt und ruht.

CONRAD FERDINAND MEYER

Fünf Versuche zeugen von C. F. Meyers Be-
mühen, der Sprache einen angemessenen
Rhythmus zu verleihen, der dem Inhalt entspricht; und man ist wohl ohne Zögern ge-
neigt, die letzte Fassung für besonders gelungen zu erklären. Denn die Sprechbewegung
ist so geraten, daß sie den Weg des Brunnen-
wassers nachgestaltet.
Außer dem Klang der Buchstaben ermöglicht
also auch die Verteilung von betonten und
unbetonten Silben (von Hebungen und Sen-
kungen), Akzente zu setzen.
Dieses Gestaltungsmittel ist jedoch keineswegs Gedichten vorbehalten, sondern kann
in jedem Text genutzt werden. Wie der
Rhythmus dabei ursächlich-wechselseitig mit
dem Satzbau zusammenhängt, läßt sich an
den Beispielsätzen von S. 80 erkennen: Die
innere Dynamik beim Aussagesatz „LESEN
macht Spaß." (Akzent auf „Lesen") ist völlig
anders als beim Fragesatz „Lesen macht
SPASS?" (Akzent auf „Spaß"). Ja, sogar die
Art der Satzverknüpfung — Satzreihe *(Para-*

taxe) oder Satzgefüge *(Hypotaxe)* — führt jeweils einen anderen Sprechrhythmus herbei,
wie die Beispielsätze von Seite 80 zeigen, da
Spannung und Ent-Spannung der Satzfolge
anders gelagert sind.
Fazit: Wer den Rhythmus eines Textes überprüft, nimmt akustische Zeigefinger wahr.

Beispiel 2:

ordnung	ordnung
ordnung	ordnung
ordnung	ordnung
ordnung	ordnung
ordnung	ordnung
ordnung	unordn g
ordnung	ordnung
ordnung	ordnung
ordnung	ordnung
ordnung	ordnung
ordnung	ordnung

TIMM ULRICHS

Außer der sinnbezogenen Akzentuierung
durch den Rhythmus verfügt die Sprache offensichtlich noch über eine Sonderform der
Betonung, die im vorliegenden Textbeispiel
augenfällig gestört ist: die Ordnung durch
den **Takt**, das Metrum („Silbenmaß").
Diese Art der Akzentuierung basiert auf der

Sprachliche Gestaltung: Phonetischer Befund

regelmäßigen Wiederkehr metrischer Einheiten, die durch eine bestimmte Abfolge von betonten und unbetonten Silben gebildet werden. Hauptarten solcher metrischer Einheiten sind: Jambus xx́ (z. B. „Apríl", „Augúst"), Trochäus x́x (z. B. „Júni", „Júli") und Daktylus x́xx (z. B. „Jánuar", „Fébruar"). Wie jeder weiß, treten solche rhythmischen Sonderformen hauptsächlich in der Lyrik auf. Da sie aber durchaus auch manchmal in nicht-lyrischen Texten eingesetzt werden, sollte man sie kennen, um sie gegebenenfalls als Gleichmaß bewirkende Sprachmittel zu durchschauen.

Es mag paradox erscheinen; aber auch dort, wo nichts ist, entstehen Konturen, werden Akzente gesetzt.

Und wo ist bei der Kommunikation nichts? In der **Pause** natürlich.
Und wo entstehen bei der verschriftlichten Kommunikation Pausen? Vor allem bei Satzzeichen — natürlich.

Übung 18
— Werden Sie sich über die Pausenfunktion der Satzzeichen klar.
— Machen Sie eine Pause.

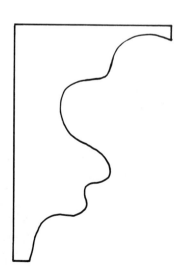

5. Wie lassen sich die Ergebnisse zusammenfassen?

Wenn nun die Einzelergebnisse der Textanalyse vorliegen, so sind sie abschließend zusammenzuführen unter der Frage:

> **Wie lassen sich die Ergebnisse zusammenfassen?**

Diese **Synthese** (griech. „Verknüpfung/Zusammenbau") hat nicht die Aufgabe, neue Aussagen über den Text zu machen, sondern die Vielheit der bisherigen Gedanken einer begründeten Einheit zuzuführen.

Die Umsetzung in die Tat soll an drei Textbeispielen erfolgen.

Da eine Synthese auf den Fundamenten der Analyse aufbaut, ist dies zugleich ein Anlaß, alle Arbeitsschritte an unterschiedlichen Grundmodellen exemplarisch vorzuführen. Obwohl wir uns dabei streng an die in diesem Buch entwickelte Arbeitsmethode halten, geschieht es im Bewußtsein, daß auch hier viele Wege nach Rom führen.

Textbeispiel 1:

Die Sprache

Der Mensch spricht. Wir sprechen im Wachen und im Traum. Wir sprechen stets; auch dann, wenn wir kein Wort verlauten lassen, sondern nur zuhören oder lesen, sogar dann, wenn wir weder eigens zuhören noch lesen, stattdessen einer Arbeit nachgehen oder in der Muße aufgehen. Wir sprechen ständig in irgendeiner Weise. Wir sprechen, weil Sprechen uns natürlich ist. Es entspringt nicht erst aus einem besonderen Wollen. Man sagt, der Mensch habe die Sprache von Natur. Die Lehre gilt, der Mensch sei im Unterschied zu Pflanze und Tier das sprachfähige Lebewesen. Der Satz meint nicht nur, der Mensch besitze neben anderen Fähigkeiten auch diejenige zu sprechen. Der Satz will sagen, erst die Sprache befähige den Menschen dasjenige Lebewesen zu sein, das er als Mensch ist. Als der Sprechende ist der Mensch: Mensch.

MARTIN HEIDEGGER

Unsere Vorarbeit beginnt mit der Frage:

Um was für einen Text handelt es sich?

Bei der Antwort hilft die bibliographische*) Angabe: Es handelt sich um den Anfang eines philosophischen Vortrags, der mit anderen Vorträgen und Aufsätzen über das Wesen der Sprache in dem Buch „Unterwegs zur Sprache" erschienen ist. (Falls man über diese Kenntnisse nicht verfügt und sie sich auch nicht durch Nachschlagen aneignen kann,

*) Siehe Quellenhinweise auf Seite 126

5. Wie lassen sich die Ergebnisse zusammenfassen?

läßt sich aus Verfassernamen, Titel und Textquelle eine vorläufige Antwort erschließen; sie kann — im Bewußtsein ihres hypothetischen Charakters — auch hilfreich sein, sollte jedoch nur mit größter Vorsicht Anwendung finden, da sie sonst leicht zum textentstellenden Vor-Urteil werden könnte.)
Es deutet alles darauf hin, daß wir es mit einem vorwiegend informativen Text zu tun haben, und wir stellen uns auf eine vorwiegend sachliche Beschreibung ein.

Der nächste Arbeitsschritt heißt:

Lesen / Lesen / Lesen / Unterstreichen / Kommentieren.

Er könnte etwa zu folgendem Ergebnis führen:

Die Sprache

Der Mensch spricht. Wir sprechen im Wachen und im Traum. Wir sprechen stets; auch dann, wenn wir kein Wort verlauten lassen, sondern nur zuhören oder lesen, so-
5 *gar dann, wenn wir weder eigens zuhören noch lesen, statt dessen einer Arbeit nachgehen oder in der Muße aufgehen. Wir sprechen ständig in irgendeiner Weise. Wir sprechen, weil Sprechen uns natürlich ist.*
10 *Es entspringt nicht erst aus einem besonderen Wollen. Man sagt, der Mensch habe die Sprache von Natur. Die Lehre gilt, der Mensch sei im Unterschied zu Pflanze und Tier das sprachfähige Lebewesen. Der Satz*
15 *meint nicht nur, der Mensch besitze neben anderen Fähigkeiten auch diejenige zu sprechen. Der Satz will sagen, erst die Sprache befähige den Menschen dasjenige Lebewesen zu sein, das er als Mensch ist. Als*
20 *der Sprechende ist der Mensch: Mensch.*

90

Vorarbeit,
Analyse: Inhalt, Aufbau

Die nächste Frage

Welche Verständnisprobleme müssen gelöst werden?

werden wir bei diesem Text wohl schnell beantworten: keine. Wer Interesse an der Sache hat, wird allerdings im Lexikon unter dem Stichwort „Sprache" noch gewinnbringende Ergänzungen finden können.

Nun geht's zur Sache:

Wovon handelt der Text?

Das Ergebnis scheint auf der Hand zu liegen: natürlich vom Sprechen. Diese Antwort ist jedoch recht vage. Bei genauerem Hinsehen offenbart sich dann: Das **zentrale Thema** ist die Beziehung zwischen Mensch und Sprache.

Die nachfolgende vorläufige **Inhaltswiedergabe** bestätigt dies: sie könnte lauten:

> Heidegger beschreibt in seiner Vortragseinleitung anhand mehrerer Beispiele den Menschen als ein Lebewesen, das bewußt oder unbewußt, äußerlich oder innerlich ständig spricht. Er führt dies auf eine natürliche Veranlagung zurück und definiert damit den Menschen als ein sprachfähiges Lebewesen, bei dem sich Menschsein und Sprechenkönnen wechselseitig bedingen.

Hiermit haben wir bereits Wesentliches vom Text erfaßt.
Dies gilt es jetzt zu vertiefen mit der Frage:

Welche Struktur hat der Text?

Äußere Zäsuren liegen nicht vor; auch fehlen zäsur-verdächtige Textelemente wie z. B. besondere Satzzeichen oder logische Partikeln. Also strukturieren wir nach inhaltlichem Gesichtspunkt und finden Einschnitte nach „in irgendeiner Weise (Zeile 8) und nach „das sprachfähige Wesen" (Zeile 14), so daß drei Gedankeneinheiten erkennbar werden:
— Sprechen als ständige Tätigkeit des Menschen
— Sprechen als natürliche Tätigkeit des Menschen
— Sprechen als wesentliche Tätigkeit des Menschen

Und in welchem inneren Verhältnis stehen diese Sinnabschnitte zueinander?
Alle drei betreffen die Beziehung zwischen Mensch und Sprache und stellen jeweils einen besonderen Aspekt dieser Beziehung dar. Die anfängliche Erwartung einer vorwiegend sachlichen Beschreibung bestätigt sich also.

Da Heidegger die Gedanken aneinanderreiht, könnte der **Gedankengang** graphisch so veranschaulicht werden:

oder:

oder:

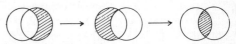

5. Wie lassen sich die Ergebnisse zusammenfassen?

Damit kommen wir zur Analyse der sprachlichen Form:

Welche sprachlichen Gestaltungsmittel liegen vor?

Wir interessieren uns zunächst für den semantischen Bereich:

Was fällt am Wortgebrauch auf?

Bereits beim ersten Lesen fällt der verbale Stil auf. Untersucht man nun die Wortwahl genauer, so stellt sich heraus, daß 20 der 131 Wörter Vollverben sind — ein ungewöhnlich hoher Anteil. Es kommt HEIDEGGER offensichtlich darauf an, im Menschen ein zum Tätigsein fähiges Lebewesen zu sehen. Dieser Gedanke hatte sich bei der Strukturanalyse (S. 91) schon indirekt angedeutet (vgl. die Themen der drei Gedankeneinheiten). Interessant ist hierbei die Verteilung der 20 Vollverben (und 29 Substantive) auf den gesamten Textausschnitt:

	Vollverben	Substantive
Teil 1:	11	7
Teil 2:	4	11
Teil 3:	5	11

Da sich auch der inhaltliche Schwerpunkt von Aussagen über die *Tätigkeiten* des Menschen auf Aussagen über den *Menschen* verlagert, entsprechen sich Inhalt und sprachliche Form deutlich: Die formale Gestaltung wirkt sich auf den Inhalt aus bzw. der Inhalt wirkt sich auf die formale Gestaltung aus.

Fällt sonst noch etwas an der Wortwahl auf?

Achtmal tritt das Wort „sprechen" auf (zusätzlich dreimal weitere Wörter desselben Wortfeldes), achtmal wird das Wort „Mensch" verwendet — eine beachtliche Häufung der Leitbegriffe. Dies erklärt, warum wir auf S. 91 in der „Beziehung zwischen Mensch und Sprache" das zentrale Thema des Textausschnitts gesehen haben.

Was fällt an den Wort- und Satzformen auf?

Unter syntaktischem Aspekt fällt auf, daß es sich ausnahmslos um Aussagesätze handelt, die für eine sachlich-informierende Beschreibung besonders geeignet sind. Einem aufmerksamen Leser entgeht auch nicht, daß die meisten Sätze Satzgefüge sind. Und welche Aufgabe kommt Satzgefügen zu? Sie schaffen die Möglichkeit, Zusammenhänge darzustellen. Und wie wirkt sich dies auf den Inhalt aus? HEIDEGGER liefert auf diese Weise trotz der feststellenden, sicheren Aussagesätze keine isolierten Behauptungen, sondern legitimiert die Einzelgedanken durch Zuordnung zu anderen, z. B.
— „Wir sprechen, . . . wenn . . ." (Zeile 2—5): Verknüpfung mit zeitgleichen Tätigkeiten
— „Wir sprechen, . . . weil . . ." (Zeile 9): Herstellung eines Kausalzusammenhangs
— „Man sagt, . . ." (Zeile 11): Zuordnung zur anerkannten Meinung anderer.

Diese Beispiele zeigen, daß der Text auch einige argumentative Züge aufweist: „Weil"

Analyse: sprachl. Gestaltung Synthese

(Z. 9) deutet auf eine Begründung hin. „Man sagt" (Z. 11) führt die Aussage in die Nähe einer These. Der Text ist eben nur „vorwiegend informativ".

Was fällt am Lautbild auf?

Bei der Lektüre fällt eine engagierte Eindringlichkeit auf, an deren Zustandekommen die phonetischen Gegebenheiten beteiligt sind. Tragendes Element dabei ist das Stilmittel der Wiederholung, das in der Form der Anapher verwendet wird: Vier Sätze beginnen mit „Wir sprechen . . .“; zwei Sätze fangen an mit „Der Satz . . .“. Dadurch werden mehrmals am Satzanfang starke Akzente gesetzt, die das inhaltliche Gewicht jeweils unterstreichen und diese Vortragseinleitung wie einen programmatischen Vorspann erscheinen lassen.

Hiermit wäre die Analyse beendet.

Wenn wir textgerecht gearbeitet haben, könnte die Frage

Wie lassen sich die Ergebnisse zusammenfassen?

folgende Synthese ergeben:

Heidegger bestimmt zu Beginn seines Vortrags über die Sprache den Stellenwert der Sprechfähigkeit für den Menschen als fundamentales Merkmal seines Wesens, das den Menschen zum Menschen macht.

Textbeispiel 2:

Keine Kompromisse?
(Von der Tragweite einer Maxime)

Nicht jeder Kompromiß ist eine faule Notlösung, bei der nur ein scheinbarer Ausgleich zwischen widerstreitenden Parteien hergestellt wird. Nicht jeder Kompromiß deutet darauf hin, daß man keine feste Meinung hat oder der Durchsetzungswille fehlt. Nicht jeder Kompromiß ist ein Zeichen von Feigheit.
5 *Denn es gibt durchaus Kompromisse, zu denen gerade Mut gehört, Mut zur Entscheidung! Wem wäre beispielsweise geholfen, wenn im politischen Meinungsstreit einer Demokratie die Mitglieder des Parlaments auf unverrückbaren Standpunkten beharrten. Interessenkonflikte würden Schlachtfelder von Prinzipien, und am Ende gäbe es Sieg und Niederlage der Gedanken, aber keine Basis für Taten. Wenn*
10 *eine Regierung handlungsfähig sein will, so bedarf es oft eines gezielten Kompromisses, der Einsicht und Zugeständnisse von allen Seiten erfordert. Mag auch manchmal das Gewissen den Politiker zur inneren Stetigkeit und Konsequenz ermahnen — die Verantwortung dem Volk gegenüber verpflichtet oft zum Einlenken und Nachgeben, zum echten Kompromiß.*

Vorarbeit

— Da uns für die Beantwortung der Frage nach dem **vorherrschenden Grundmodell** keine bibliographischen Angaben zur Verfügung stehen, lassen wir den Text aus sich selbst sprechen.

Die persönliche Aneignung des Textes könnte etwa so aussehen:

Keine Kompromisse?
(Von der Tragweite einer Maxime)

THESE

Nicht jeder Kompromiß ist eine faule Notlösung, bei der nur ein scheinbarer Ausgleich zwischen widerstreitenden Parteien hergestellt wird. Nicht jeder Kompromiß
5 deutet darauf hin, daß man keine feste Meinung hat oder der Durchsetzungswille fehlt. Nicht jeder Kompromiß ist ein Zeichen von Feigheit.

BEGRÜNDUNG
Tatsache

10 Denn es gibt durchaus Kompromisse, zu denen gerade Mut gehört, Mut zur Entscheidung. Wem wäre beispielsweise geholfen, wenn im politischen Meinungsstreit einer Demokratie die Mitglieder des
15 Parlaments auf unverrückbaren Standpunkten beharrten. Interessenkonflikte würden Schlachtfelder von Prinzipien, und am Ende gäbe es Sieg und Niederlage der Gedanken, aber keine Basis für Taten.

BEISPIEL

20 Wenn eine Regierung handlungsfähig sein will, so bedarf es oft eines gezielten Kompromisses, der Einsicht und Zugeständnisse von allen Seiten erfordert. Mag auch manchmal das Gewissen den Politiker zur
25 inneren Stetigkeit und Konsequenz ermahnen — die Verantwortung dem Volk gegenüber verpflichtet oft zum Einlenken und Nachgeben, zum echten Kompromiß.

[Handschriftliche Randnotizen:]
RAHMEN:
Fegen = begriffe
"faul" / "echt"
"Feigheit" / "Mut"

vgl.
Max Weber:
Gesinnungs-
ethik
Verantwortungs-
ethik

Widerstreit
der
Leitbegriffe!

95

5. Wie lassen sich die Ergebnisse zusammenfassen?

Die Lektüre klärt nun, welches Grundmodell vorherrscht, da der Text mit deutlichen Worten darauf abzielt, beim Leser eine bestimmte Meinungsbildung hervorzurufen. Er gehört offenkundig zur Gruppe der argumentativen Texte, wobei an einigen Stellen der Eindruck entsteht, als werde auch mit appellativen Elementen gearbeitet.

— Gibt es **Verständnisprobleme**? Die meisten Fremdwörter sind im Alltag so geläufig, daß sich lexikalische Nachforschungen erübrigen. Allein der Begriff „Maxime" müßte wohl geklärt werden; er bedeutet „Grundsatz/Prinzip". (Wer über Funktion und Arbeitsweise des Parlaments in einem demokratischen Staatssystem nicht so gut Bescheid weiß, müßte hier wohl in einem Fachbuch seine Kenntnisse vertiefen, damit er mitdenken kann.)

— Um welches **zentrale Thema** es in diesem Text geht, kündigt freundlicherweise schon die Überschrift an. (Hier ist allerdings Vorsicht geboten, da Überschriften manchmal auch nur sogenannte Aufhänger sind, die nur andeutende Funktion haben.)

— Eine **vorläufige Inhaltswiedergabe** könnte folgendermaßen lauten:

Der Verfasser stellt die These auf, daß nicht jeder Kompromiß eine Scheinlösung darstelle, die auf grundlegende Schwächen bei den beteiligten Personen schließen lasse.
Er begründet diese Auffassung mit einem Beispiel aus der Politik und zeigt, daß starre Prinzipientreue bei parlamentarischen Konflikten die Handlungsunfähigkeit der Regierung zur Folge hätte; in einem solchen Fall seien echte Kompromisse als situationsbedingte Zugeständnisse notwendig im Sinne einer höheren Verantwortlichkeit dem Volk gegenüber.

— Eine **Zäsur** des Textes ist bereits durch den Absatz signalisiert und ergibt sich aus der Argumentationsmethode; zusätzlich finden sich in Zeile 12 und 19 noch gedankliche Einschnitte.

Der **Gedankengang** entspricht dem offenkundigen Anliegen des Verfassers, einer These anhand eines einleuchtenden Beispiels Geltung zu verschaffen:

1. These: Nicht jeder Kompromiß ist negativ zu bewerten
2. Begründung durch Tatsache
3. Stützendes Beispiel:
3.1 Kompromißlosigkeit führt hier zur schädlichen Handlungsunfähigkeit
3.2 Verantwortlichkeit erfordert hier besonnene Kompromißfähigkeit

Ein Vorschlag zur graphischen Darstellung:

Analyse: Inhalt, Aufbau, sprachl. Gestaltung, Synthese

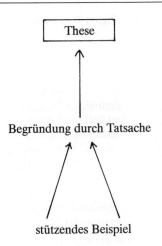

These

↑

Begründung durch Tatsache

↑ ↑

stützendes Beispiel

— Sprachlich fällt vor allem ein **Wortschatz** auf, der wertet oder beim Leser wertende Assoziationen hervorruft, z. B. „faul, Notlösung, scheinbar, kein, fehlt, Feigheit, Mut, Schlachtfelder, gezielt, Einsicht, Gewissen, Stetigkeit, Verantwortung, echt". Die Wertungen verteilen sich primär auf die Ablehnung der „faulen" Kompromisse (Z. 1—9) und die Befürwortung der „echten Kompromisse" (Z. 20—23, 26—28) und sekundär auf die Verurteilung einer sturen Kompromißlosigkeit (Z. 12—19) und die grundsätzliche Anerkennung einer moralisch begründeten Kompromißlosigkeit (Z. 23—26). Zeigte sich bei der Analyse des Gedankengangs, daß die Argumentation vor allem mit logischen Mitteln den Leser zu überzeugen versucht, so wird angesichts solcher Sprachwahl auch deutlich, daß sie sich intensiv durch psycholo-

gische Mittel unterstützen läßt. (Dies erklärt wohl auch den appellativen Unterton des Textes.)

Besondere Aufmerksamkeit verdienen in diesem Zusammenhang noch die beiden zentralen Metaphern, die das Gemeinte sinnfällig machen: „faul" (Zeile 1) zur Veranschaulichung unbrauchbarer Kompromisse, „Schlachtfeld" (Zeile 17) zur Sichtbarmachung der Folgen übertriebener Kompromißlosigkeit.

— **Syntaktisch** auffällig ist der Ausrufesatz in Zeile 10/12: Er erhebt sich über die anderen Sätze hinaus und erhält dadurch sprachlich den besonderen Stellenwert, der ihm auch inhaltlich zukommt.

— Auch in diesem Text kommt das Stilmittel der Anapher zum Einsatz (Zeile 1, 4, 7: „Nicht jeder Kompromiß . . ."), das den **phonetischen Akzent** auf die Gegenüberstellung von zwei Kompromißarten legt.

— Weil nicht alles Sagbare ausgesprochen werden muß, beenden wir an dieser Stelle unsere Analyse und **fassen zusammen:**

In Abgrenzung gegen unbrauchbare Kompromisse und übertriebene Kompromißlosigkeit versucht der Verfasser, mit logischen und psychologischen Mitteln dem Leser einsichtig zu machen, daß in bestimmten Situationen wohlüberlegte Kompromisse unumgänglich sind.

5. Wie lassen sich die Ergebnisse zusammenfassen?

Textbeispiel 3:

Skelett einer menschlichen Siedlung

Plötzlich, als wir die Höhe des Berges erreicht hatten, sahen wir das Skelett des verlassenen Dorfes am nächsten Hang liegen. Niemand hatte uns davon erzählt, niemand
5 *uns gewarnt; es gibt so viele verlassene Dörfer in Irland. Die Kirche, den kürzesten Weg zum Strand hatte man uns gezeigt und den Laden, in dem es Tee, Brot, Butter und Zigaretten gibt, auch die Zeitungsagentur,*
10 *die Post und den kleinen Hafen, in dem die harpunierten Haie bei Ebbe im Schlamm liegen wie gekenterte Boote, mit dem dunklen Rücken nach oben, wenn nicht zufällig die letzte Flutwelle ihren weißen Bauch, aus*
15 *dem die Leber herausgeschnitten worden war, nach oben kehrte — das schien der Erwähnung wert, aber nicht das verlassene Dorf: graue, gleichförmige Steingiebel, die wir zunächst ohne perspektivische Tiefe sa-*
20 *hen, wie dilettantisch aufgestellte Kulissen für einen Gespensterfilm: mit stockendem Atem versuchten wir sie zu zählen, gaben es bei vierzig auf, und hundert waren es sicher. Die nächste Kurve des Weges brachte*
25 *uns in andere Distanz, und nun sahen wir sie von der Seite: Rohbauten, die auf den Zimmermann zu warten schienen: graue Steinmauern, dunkle Fensterhöhlen, kein Stück Holz, kein Fetzen Stoff, nichts Farbi-*
30 *ges, wie ein Körper ohne Haare, ohne Au-*

Analyse:

gen, ohne Fleisch und Blut: das Skelett eines Dorfes, grausam deutlich in seiner
Struktur: dort die Hauptstraße; an der Bie-
gung, wo der kleine runde Platz ist, muß ei-
35 ne Kneipe gewesen sein. Eine Nebengasse,
noch eine. Alles, was nicht Stein war, weg-
genagt von Regen, Sonne und Wind — und
von der Zeit, die geduldig über alles hin-
träufelt: vierundzwanzig große Tropfen
40 Zeit pro Tag: die Säure, die so unmerklich
alles zerfrißt wie Resignation . . .

Würde jemand das zu malen versuchen,
dieses Gebein einer menschlichen Siedlung, in der vor hundert Jahren fünfhundert
45 Menschen gewohnt haben mögen; lauter
graue Drei- und Vierecke am grünlich-
grauen Berghang; würde er noch das Mädchen mit dem roten Pullover hinzunehmen,
das gerade mit einer Kiepe voll Torf durch
50 die Hauptstraße geht; einen Tupfer Rot für
ihren Pullover und einen dunklen Brauns
für den Torf, einen helleren Brauns für das
Gesicht des Mädchens; und noch die weißen Schafe hinzu, die wie Läuse zwischen
55 den Ruinen hocken; man würde ihn für einen ganz außerordentlich verrückten Maler
halten: so abstrakt ist also die Wirklichkeit.
Alles, was nicht Stein war, weggefressen
von Wind, Sonne, Regen und Zeit, schön
60 ausgebreitet am düsteren Hang wie zur
Anatomiestunde das Skelett eines Dorfes:
dort — »sieh doch, genau wie ein Rückgrat« — die Hauptstraße, ein wenig ver-

5. Wie lassen sich die Ergebnisse zusammenfassen?

krümmt wie das Rückgrat eines schwer Ar-
65 *beitenden; kein Knöchelchen fehlt; Arme*
sind da und die Beine: die Nebenstraßen
und, ein wenig zur Seite gerollt, das Haupt,
die Kirche, ein etwas größeres graues Drei-
eck. Linkes Bein: die Straße, die ostwärts
70 *den Hang hinauf, rechtes: die andere, die*
ins Tal führte; diese ein wenig verkürzt.
Das Skelett eines leicht humpelnden We-
sens.

HEINRICH BÖLL

Übung 19

Führen Sie nun selbst
am Textbeispiel 3 eine
Textanalyse vollständig durch.
Viel Erfolg!

6. Wie kann man sich dies alles merken?

Um die **Arbeitsschritte** zusammenfassend zu überschauen, folgt eine abschließende **Übersicht über die zentralen Fragen** an den Text:

Vorarbeit
1. Um was für einen Text handelt es sich?
2. Welche Verständnisprobleme müssen gelöst werden?

Analyse
3. Wovon handelt der Text?
4. Welche Struktur hat der Text?
5. Welche sprachliche Gestaltung liegt vor?
   — Welche sprachlichen Gestaltungsmittel werden eingesetzt?
   — Welche Funktion haben sie?
   — Welche Folgen ergeben sich für den Inhalt?

Synthese
6. Wie lassen sich die Ergebnisse zusammenfassen?

Und zum Schluß noch eine
Zusammenfassung der sprachlichen Gestaltungsmittel,
die in diesem Buch im Sinne einer **Auswahl** behandelt wurden:

	Bezeichnung	**Erläuterung**	**Beispiel**
besonderer Wortgebrauch (semantische Gestaltungsmittel)	**Metapher** (Übertragung)	Ein Vergleich wird ohne Vergleichswort „wie" benutzt.	„König der Tiere" (statt: Das Tier hat eine Stellung unter den anderen *wie* ein König.)
	Personifikation (Person-Machung)	Leblose Dinge werden ohne das Vergleichswort „als ob" wie Lebewesen behandelt.	„lachender Himmel" (statt: Der Himmel wirkt so, *als ob* er lache.)
	Synästhesie (Zusammen-Empfindung)	Die Intensität eines Sinneseindrucks wird durch einen verkürzten Vergleich mit einem anderen ausgedrückt.	„knallrot" (statt: Das Rot ist so intensiv *wie* ein Knall.)
	Symbol (Erkennungszeichen)	Ein Gegenstand oder ein Geschehen verweist sinnbildlich auf etwas anderes.	„Taube" (statt: Friede)
	Metonymie (Namensvertauschung)	Ein Wort wird durch ein anderes ersetzt, das in engem Zusammenhang mit ihm steht.	„Goethe lesen" (statt: ein Werk von Goethe lesen)
	Synekdoche (Mit-Verstehen)	Statt des Gesamtbegriffs wird ein Teilbegriff verwendet.	„Einkommen pro Kopf" (statt: pro Person)
	Ironie (Verstellung)	Man sagt das Gegenteil von dem, was man meint.	„Das hat mir gerade noch gefehlt!" (statt: Dies kann ich jetzt gar nicht gebrauchen.)
	Litotes (Schlichtheit)	Man verneint das Gegenteil von dem, was man meint.	„nicht neu" (statt: alt)
	Euphemismus (Schön-Reden)	Man umschreibt einen negativen Sachverhalt mit beschönigenden Ausdrücken.	„Null-Wachstum" (statt: Stillstand)

Übersicht:
sprachliche Gestaltungsmittel

	Bezeichnung	Erläuterung	Beispiel
besondere Wort- und Satzformen (syntaktische Gestaltungsmittel)	**Polysyndeton** (Viel-Verbunden-heit)	Gleichgeordnete Satzglieder werden durch Konjunktion verbunden.	„Einigkeit und Recht und Freiheit"
	Asyndeton (Un-Verbundenheit)	Gleichgeordnete Satzglieder stehen ohne Konjunktion nebeneinander.	„Das Schiff geht in Neapel, Genua, Barcelona, Lissabon vor Anker."
	Klimax (Steigerung)	Mehrere Ausdrücke werden in steigernder Anordnung verwendet.	„Ich kam, ich sah, ich siegte."
	Ellipse (Auslassung)	Einzelne (grammatisch notwendige) Wörter werden ausgespart.	„(Das) Ende (ist) gut, (also ist) alles gut."
	Parallelismus (Gleichlauf)	Mehrere Satzglieder sind parallel angeordnet.	„Der Denkende benützt kein Licht zuviel, kein Stück Brot zuviel, keinen Gedanken zuviel". (Brecht)
	Inversion (Umstellung)	Zur Hervorhebung eines bestimmten Wortes wird die übliche Wortfolge umgestellt.	„VON DIR hätte ich das nicht gedacht!"

6. Wie kann man sich dies alles merken?

	Bezeichnung	Erläuterung	Beispiel
besonderer Wortklang (phonetische Gestaltungsmittel)	**Lautmalerei**	Der Wortinhalt wird durch das Klangbild sprachlich nachgezeichnet.	„summen"
	Wortspiel	Der Gleichklang von bedeutungsfernen Wörtern wird zur Pointierung eingesetzt.	„Es gibt nichts Gutes, außer man tut es." (Kästner)
	Anapher (Zurückführung)	Ein Wort wird zu Beginn von Zeilen oder Sätzen wiederholt.	„Das Wasser rauscht, das Wasser schwoll . . ." (Goethe)
	Alliteration (Anfangsreim)	Wörter beginnen mit demselben Buchstaben.	„mit Mann und Maus"
	Endreim	Wörter enden mit denselben Buchstaben, vom letzten betonten Vokal an.	„sélten / gélten"
	Takt	Der Rhythmus besteht aus einer regelmäßigen Wiederkehr metrischer Einheiten.	„Díeses íst ein schöner Tág."

Widerspricht diese Übersicht nicht der Aufforderung von Seite 59, sprachliche Besonderheiten nicht nur festzustellen, sondern auch ihre Aufgabe und Wirkung anzugeben? Nein. Da jeder Text anders komponiert ist, lassen sich keine allgemeingültigen Angaben über Aufgabe und Wirkung machen.

Ein Beispiel verdeutlicht dies:
Wird einem Läufer nachgesagt, er sei „nicht

Aufgabe und Wirkung
sprachlicher Besonderheiten

der schnellste", so hat die Verwendung des Litotes hier die Aufgabe, den wahren Sachverhalt des unerwarteten Tempos unbarmherzig aufzudecken. Für den Inhalt folgt daraus, daß sein Tempo keineswegs rühmlich ist. Wird dagegen die Antwort eines Kindes als „nicht richtig" bezeichnet, so hat die Verwendung des Litotes in diesem Zusammenhang die Aufgabe, den wahren Sachverhalt der fal-schen Antwort weniger deutlich zum Ausdruck zu bringen. Für den Inhalt ergibt sich daraus, daß eine milde Einstufung der unzutreffenden Antwort erfolgt.

So, das Buch ist aus.
Ein großes Kompliment für jeden, der es bis hierher geschafft hat!
Und im übrigen: **viel Spaß beim Lesen!**

Falls es jemand noch genauer wissen möchte:

7. In welchem Kommunikations-zusammenhang stehen Texte?

Das Wort „Text" leitet sich vom lateinischen „textus" ab, das „Gewebe/Gefüge" bedeutet und ganz wörtlich als „Gewebe/Gefüge" von Sprachzeichen verstanden werden kann.

Die **Sprachzeichen** dieses Gefüges bestehen aus zwei unlösbar miteinander verbundenen Bestandteilen:
— den **Zeichenkörpern,** die beim Sprechen als **Klang** hörbar und beim Schreiben als **Buchstabe** sichtbar sind, und
— deren **Bedeutung,** die in der **Vorstellung** der Gesprächspartner vorhanden ist.

$$\text{Sprachzeichen} = \begin{cases} \text{Zeichenkörper} \\ (= \text{Bedeutungsträger}) \\ + \\ \text{Zeichenbedeutung} \end{cases}$$

Wahl, Form und Anordnung der einzelnen Zeichen
— der Buchstaben zu Wörtern
— der Wörter zu Sätzen
— der Sätze zu Satzgruppen bzw. Texten
folgen hierbei den semantischen und syntaktischen Regeln (vgl. S. 9 und 10) des jeweiligen Sprachsystems.
Die Begriffsinhalte, die für alle Sprachbenutzer gleich sind, sind im Lexikon festgehalten, wobei sich im Laufe der Zeit Änderungen ergeben können. Sprach man beispielsweise zu Goethes Zeiten von „Witz", so bedeutete das soviel wie „Verstand/Klugheit", während wir heute mit denselben Sprachzeichen einen „scherzhaften Einfall" meinen.

Neben dieser lexikalisch faßbaren Wortbedeutung haben Sprachzeichen oft auch noch eine persönliche Mit-Bedeutung, die durch die individuellen Erfahrungen des Sprechenden zustande kommt. Benutzen z. B. ein Helgoländer Fischer und ein Freiburger Installateur das Wort „Wasser", so werden sich bei beiden wohl unterschiedliche Assoziationen einstellen, die dem Wort jeweils eine kaum wahrnehmbare subjektive Färbung geben. Dasselbe Wort bedeutet daher nicht immer ganz genau dasselbe.

Im alltäglichen Umgang mit Texten werden wir allerdings weitgehend mit Übereinstimmungen im Sprachgebrauch rechnen können, da wir dasselbe Verständigungssystem benutzen, d. h. in der Regel über ein ähnliches Zeichensystem (einen ähnlichen **Code**) verfügen. Dennoch sollten wir uns immer wieder die Frage stellen: Meint der andere eigentlich dasselbe wie ich?

Sprachzeichen weisen also über sich hinaus auf die **Sache, von der die Rede ist:** Sie verweisen auf Gegenstände und Sachverhalte, die wir uns beim Sprechen und Schreiben im Bewußtsein vergegenwärtigen.

Morgen
gehen wir
in den Zoo
zu den ELEFANTEN!

Kommunikationsmodell:
Sprachzeichen, Gegenstand, Code

Die „Sache" muß hierbei keineswegs immer eine konkrete Sache sein wie unser 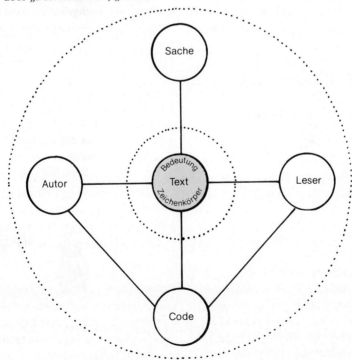, es kann sich natürlich auch um einen abstrakten Gegenstand handeln, z. B. Geheimnis oder Sommer, und sogar um etwas Erfundenes, z. B. Asterix oder Mephistopheles. Allerdings gibt es nicht in allen Sprachgemeinschaften für jedes Ding ein eigenes Wort. Die Eskimos beispielsweise verfügen über eine Vielzahl von Wörtern für „Schnee", je nach seiner Beschaffenheit, und ordnen damit verschiedenen Schneearten verschiedene Wörter zu. Unser Wortfeld dagegen reicht kaum über „Pulverschnee", „Harsch" und „Firn" hinaus; wir fassen also mehrere Schneearten mit einem Wort zusammen.

Offensichtlich hängt der Zeichenvorrat einer Sprache u. a. mit den Lebensumständen der Menschen zusammen, die sie benutzen.

Wollen wir die bisher erfaßten Zusammenhänge in einer bildlichen Darstellung veranschaulichen, so ergibt sich unter Einbeziehung von Autor und Leser folgende Graphik — Fachleute nennen sie **Kommunikationsmodell** —:

7. In welchem Kommunikations- zusammenhang stehen Texte?

Wie das Kommunikationsmodell zeigt, findet beim Lesen ein stilles Gespräch zwischen **Autor** und **Leser** statt.

Hier gäbe es nun manche lohnende Frage zu stellen, etwa: Wer ist dieser Autor? Was für ein Mensch ist er? Wie lebt er? Wie denkt er? Warum hat er diesen Text geschrieben? Kann man ihn anrufen und fragen, an was für einen Leser er beim Schreiben gedacht hat?
Und überhaupt . . .
Haben wir denn jetzt — theoretisch — alle Faktoren zur Kenntnis genommen, die an unserem stillen Gespräch beteiligt sind?

Berücksichtigt haben wir bisher
— den vorliegenden Text
— den anwesenden Leser
— den abwesenden Autor
— die gemeinte Sache
— das gemeinsame Verständigungssystem.

Müßten wir aber nicht unser Blickfeld erweitern und auch diejenigen Faktoren einbeziehen, die nur mittelbar an der Kommunikation beteiligt sind?

Die Antwort hierauf ergibt sich anhand zweier Beispiele:

1.
„Die Landung auf dem Mond ist endlich geglückt."
Dieser Satz klingt recht eindeutig; doch . . .
Lesen wir ihn bei einem antiken Schriftsteller, so werden wir ihn für einen phantasievollen
108

Scherz halten. Die damalige Selbsteinschätzung des Menschen, seine Einsicht in kosmische Gesetzmäßigkeiten und der Stand der Technik lassen kein anderes Verständnis zu.

Findet man diesen Satz jedoch in einer Zeitung vom 21. Juli 1969, so wird man denselben Wortlaut als bedeutsame Mitteilung über die tatsächliche Mondlandung verstehen, da die besonderen Zeitumstände der intensiven Weltraumforschung und der kurz vorher erfolgte Start einer Mondrakete bereits vorgeben, wie der Satz aufzufassen ist.

2.

„Jeder hat das Recht, seine Meinung in Wort, Schrift und Bild frei zu äußern und zu verbreiten."

So beginnt der Artikel 5 unseres Grundgesetzes, und ein deutscher Bundesbürger wird diesen Satz als selbstverständlichen Ausdruck der politischen Grundvorstellung in der Bundesrepublik zur Kenntnis nehmen.
Würde er jedoch auf einem Flugblatt in einer Diktatur zu lesen sein, so würde demselben Satz vor diesem politischen Hintergrund ein ganz anderer Sinn zukommen: Man verstünde ihn als Widerspruch zum herrschenden Regime.

Offensichtlich muß unser Kommunikationsmodell noch erweitert werden, damit der größere Zusammenhang sichtbar wird, in den ein Text eingebunden ist: das **geistige und gesellschaftliche Umfeld.**

Kommunikationsmodell:
Autor, Leser, Umfeld

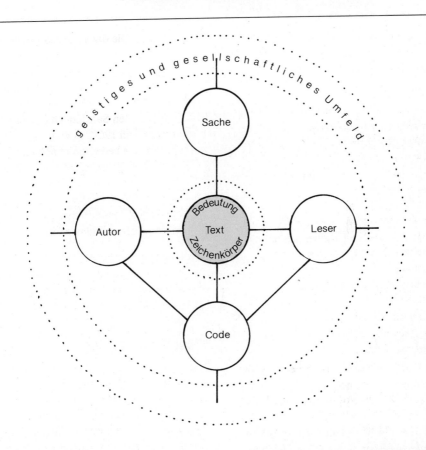

Wir wollen uns jedoch nicht gleich zu viel vornehmen, sondern uns — im Wissen um das Ganze — auf den Kern des Kommunikationsmodells beschränken: auf den **Text**.

Unser **Ziel** ist es, einen Text aus sich selbst heraus zu **verstehen**. Hierzu wollen wir ihn **analysieren**.

8. Lösungen
Übung 1—5

Übung 1

Die aufgeführten Textarten müßten folgendermaßen zugeordnet werden:

Textart	Grundmodell
— wissenschaftlicher Text — Abkommen	vorwiegend informativ (Der Gegenstand soll möglichst sachgerecht dargestellt werden.)
— Flugblatt — Wahlplakat	vorwiegend argumentativ oder appellativ (Der Leser soll überzeugt oder überredet werden.)
— Novelle — Ballade	vorwiegend literarisch (Der Autor formuliert seine eigene Vorstellung von dem Gegenstand.)

Übung 2

a) Der Text von Karl Koch ist vorwiegend *argumentativ*, da er darauf ausgerichtet ist, den Leser zu einer bestimmten Meinung zu führen.

b) Der Text von Karl Steinbuch ist vorwiegend *informativ*, da er über einen Sachverhalt (weitgehend) sachlich informiert.

Übung 3

„Remedur" bedeutet: Abhilfe

„Invektive" bedeutet: Schmährede

„ambivalent" = doppelwertig

„Spinett" = Vorgänger des Klaviers

„Clan" = schottischer Familienverband

Übung 4

Lösungsvorschlag: Seite 30 ff

Übung 5

a) Beim Text von Alfons Auer geht es um die Funktion der Freizeit.

b) Beim Text von Marie Luise Kaschnitz steht das gestörte Verhältnis zwischen dem Vater und seinen Söhnen im Mittelpunkt. (Dieses Kernthema kann verstanden werden als besonderes Beispiel für Generationskonflikte oder als Beispiel für allgemeine Störungen zwischenmenschlicher Beziehungen.)

Lösungen
Übung 6—8

Übung 6

Eine Inhaltsangabe könnte etwa so lauten:

Eine Gruppe erschöpfter Gefangener wird von einem russischen Soldaten durch die Stadt geführt — vermutlich zu einem Arbeitseinsatz. Eine zufällig hinzukommende Passantin schreit auf, läuft zu einem der Gefangenen und umarmt ihn schluchzend. Jeder durchschaut die Situation. Der russische Soldat vergewissert sich bei beiden, ob sie miteinander verheiratet seien, und fordert sie auf fortzulaufen. Da sie ungläubig stehenbleiben, zieht die Gruppe weiter. Der Soldat holt sich unter Gewaltanwendung einen anderen Passanten zur erforderlichen Vervollständigung seiner Gruppe.

Übung 7

Rilke setzt das strukturbildende Stilmittel der Wiederholung ein: „Fortzugehen" wird in mehreren Variationen wiederholt.

Übung 8

— Der Text von Irenäus Eibl-Eibesfeldt ließe sich inhaltlich etwa so gliedern:
1. Tatsachen-Feststellung: Turnierregeln bei wehrhaften Tieren (Beispiel: Meerechsen)
2. Beweis durch Beobachtung:
2.1 allgemeine Verhaltensbeschreibung
2.2 spezielle Verhaltensbeschreibung: Turnierverlauf in der Fortpflanzungszeit
2.2.1 Fall A: durch Sieg beendeter Kampf
2.2.2 Fall B: durch Demutsgebärde beendeter Kampf

— Es ergäben sich daher folgende Zäsuren:
Zeile 4 nach „Lavaklippen" (große Zäsur)
Zeile 9 nach „könnten" (mittlere Zäsur)
Zeile 20 nach „Kämpfer" (kleine Zäsur)
Zeile 20 nach „wurde" (kleine Zäsur)

— Da diese Verhaltensbeschreibung vom Allgemeinen zum Besonderen fortschreitet, könnte eine veranschaulichende Graphik so aussehen:

Zeile 1—4:
Tatsachen-Feststellung: Turnierregeln bei wehrhaften Tieren (Beispiel: Meerechsen)

Zeile 4—9:
allgemeine Verhaltensbeschreibung

Zeile 9—20:
spezielle Verhaltensbeschreibung: Turnierverlauf in der Fortpflanzungszeit

Zeile 20:
Fall A: durch Sieg beendeter Kampf

8. Lösungen
Übung 8—9

 Zeile 20—24:
Fall B: durch Demutsgebärde
beendeter Kampf

Übung 9

Hermann Steinthal: Wozu Latein lernen?

Es liegt folgende Argumentation vor:

Zeile 1— 3 : Grundlegender und umfassender Nutzen des Lateinischen:

1. Sprache als Ausdrucksinstrument
Zeile 3— 32 : Einblick in Sprach- und Denkstrukturen des Lateinischen als Möglichkeit, Wege der Welterfassung zu durchschauen

2. Sprache als Medium des Denkens
Zeile 33— 53 : Beispiel zur Veranschaulichung der Denkschulung beim Erlernen des Lateinischen
Zeile 54— 68 : Besondere Eignung des Lateinischen zur Förderung des Denkens

3. Sprache als Träger von Inhalten
Zeile 69—104 : Zugang zur fortlaufenden Überlieferung unserer geschichtlichen Ursprünge als Basis heutigen Weltverständnisses

Da die Anfangsthese vom Nutzen des Lateinischen in dreifacher Weise durch Argumente gestützt wird, könnte die Strukturskizze diese Form haben:

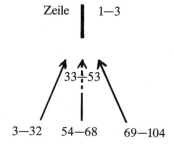

Lösungen
Übung 9—10

Hugo Stiller: Schlüssel zur Welt

Textaufbau:

Zeile 1— 5 :   1.1 Möglichkeit zur Erweiterung des Kommunikationshorizonts
Zeile 5— 42 :   1.2 Zugang zu internationalen wissenschaftlichen Informationen
Zeile 43— 54:   1.3 Förderung des beruflichen Fortkommens
Zeile 55— 64:   2. Vertiefung der Muttersprache
Zeile 65—106 :   3. Persönliche Bereicherung durch Verstehen von Originaltexten, verbunden mit Übersetzungsproblemen

Die These dieses Gedankengangs befindet sich bereits im Untertitel „Über den Nutzen moderner Fremdsprachen", so daß der gesamte Textabschnitt eine Aneinanderreihung von Begründungen darstellt.
Er ließe sich graphisch so veranschaulichen:

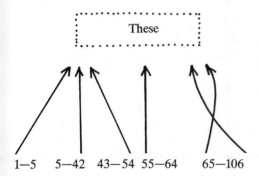

Hinweis zu Zeile 65—106:
Die beiden Gedanken — von der Freude am Original und den Übersetzungsproblemen — hängen inhaltlich eng miteinander zusammen und sind auch bei der Argumentation miteinander verwoben worden.

1—5   5—42   43—54 55—64   65—106

Übung 10

Dieser kleine Text von Franz Kafka gliedert sich durch einen auffälligen Satzbau: Ein drängendes Satzgefüge mit zahlreichen Einheiten, die mit „wenn" beginnen, spannt sich zu einem Gedankenstrich (Zeile 18) und mündet schließlich — gleichsam erlöst — in der lang erwarteten „Dann"-Passage. Ein zweites kurzes Satzgefüge greift die Gedankenbewegung noch einmal steigernd auf.

113

8. Lösungen
Übung 10—12

Ein textnaher Vorschlag für die graphische Sichtbarmachung der Textstruktur:

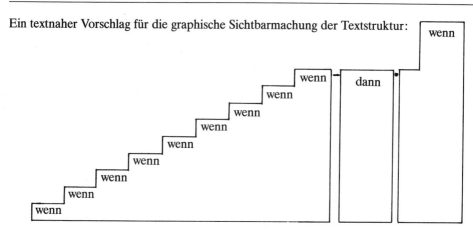

oder auch:

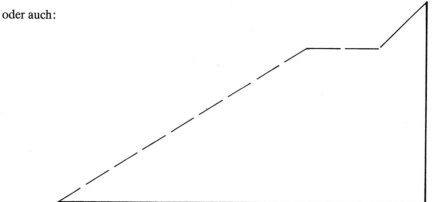

Übung 11

— Im Text von Karl Jaspers heißt der (ungewöhnlich oft wiederholte) Leitbegriff „Religion".

— Im Text von Gerhard Szczesny leiten die Begriffe „Werte" und „Normen" durch den Text.

Übung 12

— Welches sprachliche Gestaltungsmittel wird eingesetzt?

Zu unterstreichen wären hier wohl die Wörter:

Bruchzone
Parteienlandschaft
Verwerfungslinien.

Lösungen
Übung 12—13

Es handelt sich um Metaphern, d. h. um den Gebrauch von Wörtern, die im übertragenen Sinne verwendet werden: in der Form eines Vergleichs ohne Vergleichswort „wie".

— Welche Funktion hat das Stilmittel?
Offensichtlich soll ein abstrakter Sachverhalt dem Leser verständlicher gemacht werden: Der Zustand im Staat läßt sich besser vorstellen, wenn man ihn mit etwas Bekanntem (hier: mit dem Zustand einer Landschaft) vergleicht.

— Welche Folgen ergeben sich für den Inhalt?
Diese uneigentliche Sprachwahl veranschaulicht, daß sich nach Meinung des Autors der Staat in einer schwierigen Lage befindet:
So wie nach einem Erdrutsch oder einem Erdbeben das geologische Gleichgewicht gestört ist, so ist nach Theo Sommer in unserem Staat einiges bisher Gültige „ins Rutschen" geraten und bedarf der Regulierung und Stabilisierung/Anpassung.
Die metaphorische Ausdrucksweise unterstützt in ihrer Deutlichkeit einerseits den Krisencharakter dieser Situation, andererseits aber beschränkt sich die Aussagekraft des Vergleichs auf eine begrenzte Gefahrenstufe: Bruchzonen und Verwerfungslinien verursachen in der Regel zwar Probleme, jedoch keine heillosen Katastrophen.

— Haben Sie bemerkt, daß auch die Formulierungen „durchschreiten" und „ins Rutschen gerät" metaphorischer Art sind?

Übung 13

— Folgende Begriffe müßten im Text unterstrichen sein, da der Major hier deutlich etwas anderes sagt, als er tatsächlich meint:

Gast	(Zeile 45)
Bitte, bitten	(Zeile 64/5, 71/2, 73)
Schutz	(Zeile 72)
Vorzüge genießen	(Zeile 72/3)
Gefälligkeit	(Zeile 73)
Pakt	(Zeile 74, 75)

Es handelt sich jedesmal um dasselbe semantische Stilmittel des *Euphemismus* („Schön-Reden").

— Da bei allen angemerkten Textstellen ein negativer Sachverhalt mit einem beschönigenden Ausdruck umschrieben wird, hat dieses Stilmittel hier die Aufgabe, den wahren Sachverhalt jeweils zu vertuschen:

Gast	(statt: Gefangener)
Bitte, bitten	(statt: Befehl, befehlen)
Schutz	(statt: Gewalt)
Vorzüge genießen	(statt: Zwänge erleiden)
Gefälligkeit	(statt: Befehlsausführung)
Pakt	(statt: unterordnende Anerkennung)

Mehrmals nähert sich die beschönigende Redeweise schon so stark dem Gegenteil dessen, was gemeint ist, daß das euphemi-

8. Lösungen
Übung 13—15

stische Gestaltungsmittel bereits in Ironie umschlägt.

— Durch solche Sprechweise stellt Lenz — ohne zusätzliche Charakterbeschreibung — den Major als einen Mann dar, dem es nicht auf Wahrhaftigkeit seiner Worte ankommt, sondern auf deren Wirkung. Da er seine Worte gezielt zu setzen versteht, gewinnt der Zuschauer außerdem das Bild eines psychologisch und rhetorisch geschulten Menschen, der andere durch seine Sprechweise stark zu beeinflussen versucht.

— Der Konsul bedient sich in Zeile 68 einmal desselben Stilmittels wenn er die „Bitte" als „Vorsichtsmaßnahme" bezeichnet.

Übung 14

— Der Tempuswechsel erfolgt in Bölls „Anekdote zur Senkung der Arbeitsmoral" vor dem letzten Absatz: Dort wechselt das bisherige Präsens in das Imperfekt/Präteritum („zog", „blieb"), das in kurzer Rückblende ins Plusquamperfekt („hatte geglaubt") springt.

— Der Tempuswechsel grenzt die eigentliche Begebenheit äußerlich von ihrem Nachspiel ab.

— Die Verwendung des Präsens vermittelt dem Leser den Eindruck, als sei er Zeuge eines einmaligen Geschehens, das nun ab-

geschlossen ist. Der Wechsel ins Imperfekt schafft zum einen für den Leser einen Beobachtungsabstand und läßt zum anderen die inneren Nachwirkungen des Erlebnisses beim Touristen als nachhaltiges „Bohren" erscheinen. (Das Imperfekt/Präteritum ist das Tempus der „dauernden Vergangenheit", einer Zeit also, die noch nicht abgeschlossen ist.)

Übung 15

— In Brechts kleiner „Geschichte vom Herrn Keuner" sind in der wörtlichen Rede zwei Satzglieder gleichlaufend angeordnet: „Der Denkende benützt
kein Licht   zuviel,
kein Stück Brot   zuviel,
keinen Gedanken   zuviel."

Es handelt sich um drei verschiedene Akkusativ-Objekte (Satzgliedfrage: wen oder was?) und drei gleiche adverbiale Bestimmungen der Art und Weise (Satzgliedfrage: auf welche Art und Weise?/wie?). Solche parallele Anordnung mehrerer Satzglieder nennt man **Parallelismus.**

— Durch solchen Satzbau wird eine enge Verbindung der parallel angeordneten Satzglieder hergestellt: Licht — Brot — Gedanke. Der Satz erhält zugleich durch die gleichmäßige Betonung beim Sprechen eine auffällige Akzentuierung, die ihn über die Alltagssprache hinaushebt und ihm besonderes Gewicht verleiht.

116

— Und was folgt hieraus für den Inhalt des Satzes? Daß die Begriffe „Licht" — „Brot" — „Gedanke" auf diese Weise eng miteinander verknüpft werden, gibt dem Gedanken denselben Stellenwert, den Licht und Brot für den Menschen haben. Ohne zusätzliche Erläuterungen kommt damit dem Gedanken ein hoher Wert als elementarer Größe zu.

Die dreifachen Maßangaben „kein . . . zuviel" betonen außerdem, daß der Denkende das rechte Maß im Einschätzen und Abschätzen der Dinge besitzt.

Übung 16

— Grundsätzlich gibt es im Deutschen zwei Arten der Satzverknüpfung:
1. **Satzreihe**
   Sie besteht aus mehreren aneinandergereihten Hauptsätzen. Da die einzelnen Sätze einander gleichrangig nebengeordnet sind, nennt man diese Art der Satzverknüpfung auch: *Parataxe* (griech. „Neben-Ordnung").
   Beispiel: Morgen gehen wir ins Kino, und hinterher wollen wir uns noch mit den anderen treffen.
2. **Satzgefüge**
   Es besteht aus mindestens einem Hauptsatz mit einem Gliedsatz. Da Gliedsätze den Hauptsätzen untergeordnet sind, nennt man diese Art der Satzverbindung auch: *Hypotaxe* (griech. „Unter-Ordnung").

Beispiel: Ich fahre nachher in die Stadt, um mir eine LP zu kaufen.

— 1. Da die Teil-Sätze von Satzreihen gleichrangig sind, sind sie zur Mitteilung gleichwertiger Aussagen geeignet. Hierbei bilden die einzelnen Aussagen jeweils in sich geschlossene Gedanken-Einheiten.

2. Da Haupt- und Gliedsätze nicht gleichrangig sind, sind Satzgefüge zur Mitteilung von Aussagen unterschiedlicher Wichtigkeit geeignet. Hierbei herrscht zwischen den Teil-Sätzen eine enge, logisch eindeutige Beziehung. (Z. B. A begründet B. C folgt aus D. E ereignet sich während F.)

— Die links abgebildete Marktfrau gibt durch Verwendung von einzelnen Hauptsätzen oder Satzreihen jedem Teil-Satz ein besonderes Gewicht; der Vorübergehende versteht sie auch dann, wenn er nur einen einzelnen Satz hört.

Die rechts abgebildete Marktfrau drückt sich in kunstvollen Satzgefügen aus, die sorgfältige logische Zuordnung der Gedanken aufweisen; der Vorübergehende versteht sie nur dann, wenn er das vollständige Satzgefüge hört.

Wegen der beabsichtigten Werbewirkung der Anpreisungen ist hier dem Stilmittel der Satzreihe eindeutig der Vorzug zu geben.

8. Lösungen
Übung 17—19

Übung 17

Beispiele für bekannte Werbesprüche, an deren Wirkung die Wiederholung der Lautgestalt maßgeblich beteiligt ist, wären etwa:

Milch macht müde Männer munter.

Sanso wäscht Wolle wollig weich.

Erstmal entspannen, erstmal Picon.

Wer schafft, braucht Kraft,
braucht Buerlecithin flüssig.

Erst gurten, dann spurten.

Romika tragen — Wohlbehagen.

Bolle bietet Bestes.

Pack den Tiger in den Tank.

Nehmt den Husten nicht so schwer,
jetzt kommt der Hustinettenbär.

Schreibste ihm, schreibste ihr —
schreibste auf MK-Papier.

Übung 18

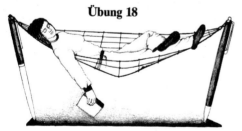

Übung 19

Die abschließende Textanalyse könnte folgendermaßen ausgeführt sein:
Wir eröffnen die Vorarbeit mit der Frage:
<u>Um was für einen Text handelt es sich?</u>
Der Buchtitel verrät einiges; genauere Nachforschungen ergänzen: Es handelt sich um Erzählungen, deren Stoff aus Bölls persönlichen Eindrücken und Erfahrungen seiner Irland-Reisen stammt. Wir haben es also mit einem vorwiegend literarischen Textabschnitt zu tun, in dem der Leser mit Bölls Augen Irland kennenlernt.

Den Zugang zum Text gewinnen wir durch:
<u>Lesen / Lesen / Lesen / Unterstreichen / Kommentieren,</u>
so daß beispielsweise folgendes Ergebnis erzielt werden könnte:

Skelett einer menschlichen Siedlung

<u>*Plötzlich,*</u> *als wir die Höhe des Berges erreicht hatten, sahen wir* <u>*das Skelett des verlassenen Dorfes*</u> *am nächsten Hang liegen.*/
Niemand hatte uns davon erzählt, niemand
5 *uns gewarnt, es gibt so viele verlassene*
Dörfer in Irland. Die Kirche, den kürzesten

vgl. Zeile 31, 61, 72

① Unerwartet: das Wichtige

△ Betroffenheit

118

Lösungen
Übung 19

Weg zum Strand hatte man uns gezeigt und
den Laden, in dem es Tee, Brot, Butter und
Zigaretten gibt, auch die Zeitungsagentur,
10 die Post und den kleinen Hafen, in dem die
harpunierten Haie bei Ebbe im Schlamm
liegen wie gekenterte Boote, mit dem dunklen Rücken nach oben, wenn nicht zufällig
die letzte Flutwelle ihren weißen Bauch, aus
15 dem die Leber herausgeschnitten worden
war, nach oben kehrte — das schien der Erwähnung wert, aber nicht das verlassene
Dorf: graue, gleichförmige Steingiebel, die
wir zunächst ohne perspektivische Tiefe sa-
20 hen, wie dilettantisch aufgestellte Kulissen
für einen Gespensterfilm: mit stockendem
Atem versuchten wir sie zu zählen, gaben
es bei vierzig auf, und hundert waren es sicher. Die nächste Kurve des Weges brachte
25 uns in andere Distanz, und nun sahen wir
sie von der Seite: Rohbauten, die auf den
Zimmermann zu warten schienen: graue
Steinmauern, dunkle Fensterhöhlen, kein
Stück Holz, kein Fetzen Stoff, nichts Farbi-
30 ges, wie ein Körper ohne Haare, ohne Augen, ohne Fleisch und Blut: das Skelett eines Dorfes, grausam deutlich in seiner
Struktur: dort die Hauptstraße; an der Bie-
gung, wo der kleine runde Platz ist, muß ei-
35 ne Kneipe gewesen sein. Eine Nebengasse,
noch eine. Alles, was nicht Stein war, weg-
genagt von Regen, Sonne und Wind — und
von der Zeit, die geduldig über alles hin-
träufelt: vierundzwanzig große Tropfen
40 Zeit pro Tag: die Säure, die so unmerklich

119

8. Lösungen
Übung 19

Personifikation:
ZEIT *
* geduldig
* zerfrißt
* Resignation

Farben
○ grau
○ grünlichgrau
○ rot
○ braun
○ weiß

alles zerfrißt* *wie* Resignation*.../

Würde jemand das zu *malen* versuchen,
dieses *Gebein einer menschlichen Sied-*
lung, in der vor hundert Jahren fünfhundert
45 Menschen gewohnt haben mögen; lauter
graue° *Drei- und Vierecke am grünlich-*
grauen Berghang; würde er noch das *Mäd-*
chen mit dem roten° Pullover hinzunehmen,
das gerade mit einer Kiepe voll Torf durch
50 die Hauptstraße geht; einen Tupfer Rot° für
ihren Pullover und einen dunklen Brauns°
für den Torf, einen helleren Brauns° für das
Gesicht des Mädchens; und noch die wei-
ßen° Schafe hinzu, die *wie* Läuse zwischen
55 den Ruinen hocken; man würde ihn für einen ganz außerordentlich verrückten Maler
halten: *so abstrakt ist also die Wirklichkeit.*/
Alles, was nicht Stein war, weggefressen°
von Wind, Sonne, Regen und Zeit, schön
60 ausgebreitet am düsteren Hang wie zur
Anatomiestunde das Skelett eines Dorfes:
dort — »sieh° doch, genau *wie* *ein Rück-*
grat« — die Hauptstraße, ein wenig ver-
krümmt *wie das Rückgrat* eines schwer Ar-
65 beitenden; kein *Knöchelchen* fehlt; *Arme*
sind da und die *Beine:* die Nebenstraßen
und, ein wenig zur Seite gerollt, das *Haupt,*
die Kirche, ein etwas größeres graues Drei-
eck. Linkes Bein: die Straße, die ostwärts
70 den Hang hinauf, rechtes: die andere, die
ins Tal führte; diese ein wenig verkürzt.
Das Skelett eines leicht humpelnden We-
sens.
                                    HEINRICH BÖLL

⑤ distanzierte
Beobachtung
(mit den
Augen eines
anderen)

Wiederholung
(fast wört-
lich) vgl.
Zeile 36 - 38

⑥
neue
Sichtweise:
Vermensch-
lichung
voll
durchgeführt

vgl. Zeile 2
"verlassenes Dorf"

120

Und welche Verständnisprobleme müssen gelöst werden?
Falls wir etwas nachschlagen müssen, so könnte es sich um „Anatomiestunde" (Zeile 61) handeln: Anatomie ist die Lehre von Form und Körperbau der Lebewesen, die in der Schule im Fach Biologie, an der Universität im Fach Anatomie unterrichtet wird.

Damit sind wir bei der Frage:
Wovon handelt der Text?
Das zentrale Thema ist die unerwartete Begegnung mit einem verlassenen Dorf.
Die vorläufige Inhaltsangabe ließe sich folgendermaßen formulieren:

Ein Fremder in Begleitung erkundet eine unbekannte Gegend und entdeckt unvorbereitet ein verlassenes Dorf. Über vieles andere hatte man sie vorher informiert, hierüber jedoch nicht. Er ist tief betroffen von den leblosen Formen und Farben und vergleicht die noch erkennbare Struktur des Dorfes mit einem Skelett. Er denkt über den Verfallsprozeß nach, der ihm wie das Werk eines zerstörerischen Lebewesens erscheint, und stellt sich vor, wie unglaubwürdig das Bild wirken würde, wenn jemand diese Szene naturgetreu malte.

Er nimmt erneut die Zeichen der Vergänglichkeit wahr und entdeckt in den Konturen des verlassenen Dorfes mit anatomischer Exaktheit das „Skelett eines leicht humpelnden Wesens".

Die vorigen Arbeitsschritte haben schon den nächsten vorbereitet:
Welche Struktur hat der Text?
Eine einzelne Zäsur ist bereits vom Autor vorgegeben: in Zeile 41. Weitere gedankliche Einschnitte haben wir in der Vorarbeitsphase gekennzeichnet; sie sind zu überprüfen und auszuwerten.
Als Gliederung bietet sich an:

Zeile 1— 3: 1. Konfrontation mit dem unerwarteten Anblick eines verlassenen Dorfes

Zeile 3—18: 2. Abgrenzung gegen das Erwartete

Zeile 18—24: 3.1 Erste Eindrücke

Zeile 24—41: 3.2 Genauere Wahrnehmung

Zeile 42—57: 4. Gedankliche Umsetzung des Beobachteten in ein gemaltes Bild

Zeile 58—73: 5. Deutung des Beobachteten: die Konturen des verlassenen Dorfes als „Skelett eines leicht humpelnden Wesens"

Ein Vorschlag zur Veranschaulichung des Gedankengangs:

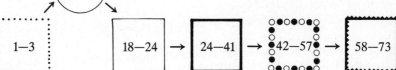

121

8. Lösungen
Übung 19

Unsere Analyse gilt nun der sprachlichen Form des Textausschnitts:
Welche sprachlichen Gestaltungsmittel liegen vor?

Zuerst wäre der semantische Bereich zu untersuchen:

Was fällt am Wortgebrauch auf?

Hier wären wohl hauptsächlich folgende Besonderheiten zu bemerken:
— An 5 Textstellen werden die Ruinen des Dorfes als „Skelett" bezeichnet (Überschrift, Zeile 2, 31, 61 und 72), wobei dieser Leitbegriff metaphorisch eingesetzt wird, d. h. die Überreste des Dorfes werden — ohne Verwendung des Vergleichsworts „wie" — mit einem Skelett verglichen.
Zur Verstärkung dieses Vergleichs werden zahlreiche andere Wörter aus dem Bereich der menschlichen Anatomie hinzugezogen („wie ein Körper ohne Haare, ohne Augen, ohne Fleisch und Blut"/Z. 30/31; „dieses Gebein"/Z. 43; „wie ein Rückgrat"/Z. 62; „wie das Rückgrat eines schwer Arbeitenden"/Z. 64; „Knöchelchen, Arme"/Z. 65; „Beine"/Z. 66, 69, 70; „Haupt"/Z. 67; „eines leicht humpelnden Wesens"/Z. 72/3).
Hierbei wird die Beziehung zwischen Dorf und Mensch im Verlauf des Textausschnitts immer stärker ins Blickfeld gerückt: Zeile 2/3 enthält nur eine kurze Andeutung, während Zeile 30—32 dem Gedanken bereits besondere Aufmerk-

samkeit widmet, bis Zeile 60—73 ganz diesem Vergleich gehört.
Dieser Vergleich wird untermauert durch den Hinweis auf die „Anatomiestunde"/Z. 61, die ja der Untersuchung (und Zergliederung) des menschlichen Körpers dient.

— Fragen wir nun in Anlehnung an Seite 59 nach der Funktion dieses Gestaltungsmittels, so werden wir es wohl als poetisches Mittel verstehen, mit dem Böll betont, wie dem Dorf in diesem Zustand das Eigentliche, das Lebendig-Pulsierende fehlt. Unterstützt wird dies durch Verweise auf leblose Formen („gleichförmige Steingiebel"/Z. 18; „Drei- und Vierecke"/Z. 46) und Farben („grau"/Z. 18, 46; „grünlich-grau"/Z. 46/7), die nur selten von anderen unterbrochen werden (rot, braun, weiß/Z. 48, 50—54).
— Und welche Folgen ergeben sich aus solcher Sprachwahl für den Inhalt? Böll hält nicht objektiv wahrgenommene Tatsachen fest, sondern formt das Beobachtete subjektiv um, indem er nicht das sichtbare Dorf, sondern das Dorf in seiner Vergänglichkeit darstellt.
Die Untersuchung des Wortgebrauchs ließe sich im Sinne der Randbemerkungen von S. 118/120, Lösungen, noch fortführen: aber unsere Textanalyse soll ja keine Doktorarbeit werden, und so wenden wir uns dem syntaktischen Bereich zu.

Lösungen
Übung 19

Was fällt an den Wort- und Satzformen auf?
— Ein Blick auf die Verbformen löst bei Erkennen des Konjunktivs „würde" die Zeilen 42—57 vom übrigen Text ab und offenbart sie als Gedankenspiel.
— Die Untersuchung des Satzbaus wird wohl
zwei Feststellungen in den Mittelpunkt
rücken: Zum einen sind einige Sätze un-
vollständig (z. B. Zeile 35/6, 36 ff, 58 ff,
63 ff, 72/3), zum anderen „türmen" sich
einige Sätze durch mehrfache Verwendung
eines Doppelpunktes gleichsam „aufeinander" (z. B. Zeile 18+21, 26+27+31+33,
69+70). Und was bewirkt solcher Satzbau? Er verursacht einen starken Wechsel
von isolierten Gedankenfetzen und drän-
genden Gedankenketten. Für den Inhalt
läßt dies wohl Rückschlüsse auf den Ich-
Erzähler zu, der im Spannungsfeld steht
zwischen einzelnen, in der Betroffenheit
noch nicht zu Ende gedachten Eindrücken
einerseits — und immer neuen Entdek-
kungen, deren rasche Wahrnehmung noch
keine logisch ausgeformte Reflexion zu-
läßt.

Was fällt am Lautbild auf?
— Der Text erhält durch die Gleichheit des
Satzanfangs (Z. 36 und 58) und die Ähn-
lichkeit der Satzfortführungen Zeile 37 ff
und 58 ff akustische bzw. optische Akzente, die den Inhalt unterstreichen.

— Ganz anders dagegen verhält es sich mit
dem Gestaltungsmittel, das in Zeile 41 an-
gewendet wird: den Satzzeichen, die eine
Auslassung signalisieren. Hier gibt es Un-
gesagtes, ein Stückchen Schweigen im
Text.
Daß die Folgen dieser Auslassung für den
Inhalt mehrdeutig sind, versteht sich in
diesem Fall von selbst. (Wo nichts steht,
läßt sich auch nichts unmittelbar aus dem
Text entnehmen.)
Denkbar wären etwa folgende Deutungen:
— Die Gedanken des Ich-Erzählers hän-
gen noch melancholisch dem Stichwort
„Resignation" nach.
— Es entsteht eine echte Gedankenpause.
— Selbstverständliches braucht in stillem
Einvernehmen mit dem Leser nicht
ausdrücklich gesagt zu werden.

Hiermit wären wir bei der abschließenden
Frage:

Wie lassen sich die Ergebnisse zusammenfassen?
Die Antwort könnte in folgender Synthese
liegen:

Böll stellt die unerwartete Begegnung mit
einem verlassenen Dorf dar, dessen Struktur und Leblosigkeit den Betrachter so in
ihren Bann ziehen, daß er schließlich in
ihm ein menschliches Skelett sieht.

9. Stichwortverzeichnis

Stichwortverzeichnis

Quellenhinweise

Die Zahlen im ◯ beziehen sich auf die Seiten, auf denen der betreffende Text hier im Buch beginnt.

Quellenhinweise: ⑦ Als Lesezeichen von Friedrich Luft (gekürzt). Aus: DIE WELT 58, Nr. 2, Hamburg 1964 ⑦ Über Lesen und Bücher von Marcel Proust. Aus: Tage des Lesens. Suhrkamp, Frankfurt/M. (Überschrift v. d. Verf.) ⑨ Ausschnitt aus einem Gedicht von Nikiforos Vrettakos. Aus: Jenseits der Furcht. Jugend & Volk, München 1973 ⑨ Anfang des Nibelungenliedes ⑨ Anekdote von Dschoha und seinen 10 Eseln. Aus: Praktisches Lehrbuch Arabisch, Langenscheidt Verlag, Berlin 1984 ⑬ Erste Hilfe von Eugen Roth. Aus: Ernst und heiter. Deutscher Taschenbuch Verlag, München 1964 ⑭ Der hilflose Knabe von Bertold Brecht. Aus: Gesammelte Werke, Band 12. Suhrkamp, Frankfurt/M. 1967 ㉑ Vokabeln pauken. Leserbrief von Karl Koch. Aus: DIE ZEIT vom 15. 10. 1971. Zeit Verlag, Hamburg 1971 ㉓ Textausschnitt von Karl Steinbuch. Aus: Falsch programmiert. Deutsche Verlags-Anstalt, Stuttgart 1968 ㉖ Als Lesezeichen von Friedrich Luft. Aus: DIE WELT 90, Nr. 3, Hamburg 1964 ㉘ Textausschnitt von Cenneth Clark. Aus: Die Glorie des Abendlandes (Civilisation). Rowohlt, Reinbek 1978 ㉙ Über die Karriere eines Bestsellers am Beispiel Eric Malpass von Dieter E. Zimmer, a. a. O. (s. S. 30) ㉝ Textausschnitt von Alfons Auer. Aus: Anthropologische Überlegungen zum Freizeitproblem. In: Freizeit. Hrsg. von Reinhard Schmitz-Scherzer, Akademische Verlagsanstalt, Frankfurt/M. 1974 ㉞ Hobbyraum von Marie-Luise Kaschnitz. Aus: Steht noch dahin. Neue Prosa. Insel Verlag, Frankfurt/M. 1970 ㉟ Café de la Terrasse von Max Frisch. Aus: Tagebuch 1946—49. Suhrkamp, Frankfurt/M. 1964 ㊲ Individuum, Gruppe, Gesellschaft von Tobias Brocher. Aus: Das unbekannte Ich. Rowohlt, Reinbek, rororo/tele 9 ㊴ Appell einer Vorarbeiterin an ihren türkischen Arbeitskollegen von Hermann Bausinger. Aus: Deutsch für Deutsche. Dialekte, Sprachbarrieren, Sondersprachen. Fischer, Frankfurt/M. Nr. 6145 ㊶ Der Auszug des verlorenen Sohnes von Rainer Maria Rilke. Aus: Sämtliche Werke in 12 Bänden, Band 2. Insel Verlag, Frankfurt/M. 1975 ㊷ Textausschnitt von Gerhard Szczesny. Aus: Das sogenannte Gute. Rowohlt, Reinbek 1971 ㊻ Textausschnitt aus: Wohin führt uns die Wissenschaft? von Carl Friedrich von Weizsäcker. Aus: Zum Weltbild der Physik, S. Hirzel Verlag, Stuttgart 1954 ㊼ Reklame von Ingeborg Bachmann. Aus: Gedichte, Erzählungen, Hörspiele, Essays. Piper Verlag, München 1964 ㊽ Die Geschichte vom Honigtropfen. Aus: Die Erzählungen aus den Tausendundein Nächten ㊿ Textausschnitt von Irenäus Eibl-Eibesfeldt. Aus: Liebe und Haß. Zur Naturgeschichte elementarer Verhaltensweisen. Piper Verlag, München 1970 ㊾ Pläne von Rom und London mit freundlicher Genehmigung des Polyglott-Verlages, München ㊾ Wozu Latein lernen? von Hermann Steinthal und Schlüssel zur Welt von Hugo Stiller. Aus: DIE ZEIT, Nr. 40 vom 26. 9. 1980 ㊾ Der plötzliche Spaziergang von Franz Kafka. Aus: Erzählungen. S. Fischer Verlag, Frankfurt 1946 ㊿ Textausschnitt von Robert Elegant. Aus: The Great Cities „Hong Kong". Time-Life Books 1977 ㊿ Was ist und zu welchem Zweck betreibt man Physiologie? von Robert F. Schmidt. Aus: Biomaschine Mensch. Piper Verlag, München/Zürich 1979 ㊿ Auflösung der überlieferten Werte von Karl Jaspers. Aus: Vom Ursprung und Ziel der Geschichte. Piper Verlag, München 1964 ㊿ Von der Höflichkeit und Die Stachelschweine von Arthur Schopenhauer. Aus: Sämtliche Werke, Band 5. Brockhaus, Wiesbaden 1964 ㊿ Textausschnitt von Theo Sommer aus DIE ZEIT, Nr. 41 vom 8. 10. 1982 Zeit Verlag, Hamburg 1982 ㊿ Ratschläge für einen guten Redner und Ratschläge für einen schlechten Redner (gekürzt) von Kurt Tucholsky. Aus: Gesammelte Werke, Band 8. Rowohlt, Reinbek 1960 ㊿ Textausschnitt von Siegfried Lenz. Aus: Zeit der Schuldlosen, Kiepenheuer & Witsch, Köln 1962 ㊿ Textausschnitt von Günter Lietzmann. Aus: Deutsch für Profis, Stern Verlag, Hamburg 1982 ㊿ Textausschnitt aus Unterm Rad von Hermann Hesse. Aus: Gesammelte Werke, Band 2, Suhrkamp Verlag, Frankfurt/M. 1970 ㊿ Anekdote zur Senkung der Arbeitsmoral von Heinrich Böll. Aus: Aufsätze, Kritiken, Reden. Kie-

Quellenhinweise

penheuer & Witsch, Köln 1967 ⑦ Organisation von Bertold Brecht a. a. O. ㊶ Textausschnitt von Johann Wolfgang von Goethe. Aus: Die Leiden des jungen Werthers (Brief vom 10. Mai 1771), Gesamtausgabe Band 13, Deutscher Taschenbuch Verlag, München 1962 ㊗ Dorlamm meint von Robert Gernhardt. Aus: Wörtersee. Verlag Zweitausendeins, Frankfurt 1981 ㊙ Das ästhetische Wiesel von Christian Morgenstern. Aus: Galgenlieder. Deutscher Taschenbuch Verlag, München ㊕ Gedichte von Conrad Ferdinand Meyer aus Sämtliche Werke. Benteli Verlag, Bern ㊖ Ordnung von Timm Ulrichs. Aus: Konkrete Poesie. Hrsg. von Eugen Gomringer, Reclam 9359 (2), Ditzingen ㊘ Die Sprache von Martin Heidegger. Aus: Unterwegs zur Sprache. Neske Verlag, Pfullingen 1959 ㊦ Skelett einer menschlichen Siedlung von Heinrich Böll. Aus: Irisches Tagebuch, Kiepenheuer & Witsch, Köln 1957.

Übersetzung des griechischen Textes von S. 9

Laßt diese schöne Welt weiterbestehen,
indem sie das Morgen in ihren Quellen aufrührt
— wie in der Zeit, da ich geboren wurde — urewig und neu,
als tauchte sie jeden Morgen zum ersten Mal hervor
aus den rosafarbenen Schleiern ihrer Geburt.

NIKIFOROS VRETTAKOS

Übersetzung des arabischen Textes von S. 9

Anekdote von Dschoha und seinen zehn Eseln
Dschoha kaufte zehn Esel. Er freute sich über sie und führte sie vor sich her, dann ritt er auf einem von ihnen. Unterwegs zählte er reitend seine Esel — da fand er, daß es neun waren. Daraufhin stieg er ab und zählte sie; da sah er, daß es zehn waren. Nun sprach er: „Es ist besser, ich gehe zu Fuß und gewinne einen Esel, als daß ich reite und einen verliere."